Sgyrsiau Noson Dda
DAWN DWEUD O DAN Y BWLCH

Sgyrsiau Noson Dda

Dawn Dweud o Dan y Bwlch

Dic Jones

T. Llew Jones

Bedwyr Lewis Jones

I'r cynulleidfaoedd hynny
a wnaeth Tan y Bwlch
yn ganolfan mor frwdfrydig

Argraffiad cyntaf: 2013

Rhif rhyngwladol: 978-1-84527-424-5

Mae'r cyhoeddwr yn cydnabod cefnogaeth ariannol
Cyngor Llyfrau Cymru

Cynllun clawr: Olwen Fowler

Cyhoeddwyd gan Wasg Carreg Gwalch,
12 Iard yr Orsaf, Llanrwst, Conwy, LL26 0EH.
Ffôn: 01492 642031 Ffacs: 01492 641502
e-bost: llyfrau@carreg-gwalch.com
lle ar y we: www.carreg-gwalch.com

Cynnwys

Cyflwyno'r Gwŷr Gwadd

Mae gan Blas Tan y Bwlch, Maentwrog – canolfan gynadledda Parc Cenedlaethol Eryri – hanes anrhydeddus o ddenu cynulleidfaoedd a darlithwyr sydd wedi creu sesiynau cofiadwy a ffrwythlon ar sawl agwedd o ddiwylliant a threftadaeth Cymraeg a Chymreig. Ymysg y rhai mwyaf arbennig y mae cyfranwyr i gyrsiau penwythnos a chyrsiau undydd Llafar Gwlad.

Twm Elias oedd y sbardun a roddodd yr hwb cyntaf i'r cyrsiau rheiny. Yn ôl yn nechrau wyth degau'r ganrif ddiwethaf, tynnodd griw brwd ynghyd – gan gynnwys John Owen Huws a Cynan Jones – ac ar ôl y cwrs cyntaf ysbrydoledig, ymddangosodd y rhifyn cyntaf o'r cylchgrawn *Llafar Gwlad* yn Awst 1983.

Daeth y 'Cwrs Llafar Gwlad' yn rhan o galendr blynyddol llawer o selogion oedd yn cyfrannu i drafodaethau difyr ar derfyn pob darlith neu sgwrs. Roedd y sgwrs yn wlithog iawn o gylch y byrddau bwyd ac yn y bar yn y Plas yn ogystal ac yn fuan aeth y gair ar led bod y croeso a'r ymateb gan 'griw Tan y Bwlch' gystal ag unlle arall yng Nghymru. Doedd hi'n ddim i weld Twm Elias yn cario mwy o gadeiriau i lyfrgell y Plas ar gyfer y cant ac ugain a mwy a fyddai'n mynychu rhai o'r sesiynau. Denwyd siaradwyr mwyaf rhugl y genedl yno ac roeddent hwythau ar eu gorau wrth ymateb i'r brwdfrydedd o'u cwmpas.

Nid lwc oedd hi bod Twm Elias wedi penderfynu recordio nifer o'r siaradwyr. Gyda pheiriant bach disylw ar y bwrdd o flaen y siaradwyr, llwyddodd i gofnodi degau o'r sgyrsiau hyn a dal ysbryd y cyfarfodydd gyda'r chwerthin calonnog a'r pytiau o sgyrsiau ar ôl i'r gŵr gwadd eistedd. Synhwyrodd Twm fod cyfraniad arbennig yn cael ei wneud yn ystod y penwythnosau hyn a bu'n ddigon hirben i roi'r cyfan ar dâp – er bod hynny'n golygu'r diflastod o orfod cadw un llygad ar y peiriant a neidio ar ei draed i droi'r tâp pan fyddai un ochr wedi'i lenwi.

Mae'r tair sgwrs a gyhoeddir yn y gyfrol hon yn dangos rhychwant y darlithwyr – yn ddaearyddol ac o ran cefndiroedd. Mae blas y gymdeithas amaethyddol y cododd ohoni ar sgwrs Dic Jones am feirdd talcen slip a rôl ddychanol y bardd yn ei gymdeithas; cawn flas ar gymdeithas yr eisteddfod, y cystadlu a'r beirniadu gan T. Llew Jones ac mae craig o ysgolheictod o dan sgwrsio melys Bedwyr Lewis Jones am enwau caeau.

Procio ymateb – dyna oedd un o ddibenion y sgyrsiau hyn ymysg y cwmni arbennig yma oedd yn casglu yn Nhan y Bwlch. Wrth eu darllen heddiw, mae ambell gloch yn canu ac ambell sgwarnog yn codi y carwn ddilyn ei thrywydd. Mi nodaf un yn unig – mae Bedwyr yn crafu'i ben ynglŷn â'r enw 'Cae Arlas' y mae wedi'i ganfod yn ardal Stiniog a Thrawsfynydd. 'Sa'n dda gin i ei ddal o,' meddai Bedwyr gan gynnig 'yr ardd las' yn ddiweddarach. Dros y mynydd ym mhlwyfi Penmachno ac Ysbyty Ifan mae caeau uchel ar y ffriddoedd yn cael eu galw 'Yr Arloes' – tir wedi'i arloesi, wedi'i ddwyn o'r mynydd. Meddai William Jones, y telynegwr o Nebo, Dyffryn Conwy am ffermwyr y tir uchel:

> Ymladd â'r gors a'r fawnog
> I fagu'r tyaid plant.

ac mewn cerdd arall:

> Ces ddilyn swch a chwlltwr
> Fu'n crafu a gwasgu'r pridd,
> A rhwygo gwreiddiau'r eithin
> Dan wydn groen y ffridd.

'Yr Arloes' fyddai'r enw ar gae yn y fan honno.

Mae hiraeth i'w glywed ar y tudalennau hyn hefyd. Er bod darnau – ambell stori, ambell gerdd – o gynnwys y gyfrol wedi ymddangos mewn print yma ac acw, yr hyn a geir yma yw dawn lafar y traddodwyr. Cadwyd yn driw i'w ffordd o gyflwyno'u geiriau ac o drin eu cynulleidfa. Mae yma gyffyrddiadau atgofus o ddulliau'r tri o adrodd stori, defnyddio hiwmor a thynnu coes ac o'u crefft wrth ddal cynulleidfa. Ni allwn lai na rhyfeddu at eu hiaith lafar gyhyrog.

Wrth ddarllen y testunau hyn, daw goslef a lleisiau'r tri yn ôl yn fyw. Am y rheswm hwnnw'n unig, maen nhw'n amhrisiadwy.

Myrddin ap Dafydd
Mehefin 2013

1. 'Beirdd Gwlad a Beirdd Answyddogol fy Mro' - Dic Jones

Mae'n dda iawn gen i fod yma a dwi'n falch ofnadwy mod i'n teimlo braidd yn nerfus, achos y rhyfeddod yw – dw i ddim yn gwybod amdanoch chi bobol eraill sydd yn perfformio, ond weithiau mae dyn yn sefyll o flaen cynulleidfa yn llipa llac – a llipa llac yw'r hyn sydd gyda e i'w ddweud hefyd fel rheol. Ond pan fo dyn yn teimlo rhyw gryndod bach, mae e'n siarad yn gadarnach. Felly dwi'n gorfod siarad rhyw lot o nonsens fel hyn nawr i gychwyn i ddod ata'n hunan ac i ddod at y cywair priodol, fel petai.

Iawn, 'Llên Gwerin'.

Gan mai ym myd mydryddiaeth o ryw fath y mae niddordeb penna i wedi bod, mae yna yn ein hardal ni – yr un fath â phob ardal arall – rhyw feirdd answyddogol, fel petai. Nid y beirdd diwethaf yma sydd wedi cyhoeddi cyfrolau y 'Beirdd Answyddogol' (cyfres Y Lolfa 1970au/1980au) yw'r rhai cyntaf o bell ffordd, na'r rhai cyntaf chwaith nad yw hanner eu stwff nhw ddim yn gyhoeddadwy heb sôn am fod yn gyhoeddedig. Ac, wrth gwrs, roedd y traddodiad yna'n bod yn yn hardal ni.

Roedd yna un yn arbennig yr hoffwn i petaen ni'n medru gwneud tipyn o waith ymchwil iddo fe, ond mae'n amhosib oherwydd roedd e'n anllythrennog mae'n debyg, a'r cyfan o'i waith ar gof gwlad. Mae perthynas iddo'n byw yn Llandudoch – neu

9

ni'n ei alw fe. Dyw hynny'n ddim byd achos roedd 'na nifer o Jac y Bardds i'w cael. Roedd 'na rhyw un – mi glywes Alun y Cilie ac Isfoel yn sôn am hwnnw. Ioan Glyndŵr oedd e'n galw'i hunan ac roedd hwnnw'n englynwr peryglus, mae'n debyg. Waeth pan oedd cyhoeddi eisteddfod yng Nghaerwedros y peth cyntaf oedd e'n wneud oedd mynd lawr i'r siop a phrynu copi-bwc a phensil. A thestun gosodedig yr englyn oedd 'Y bywyd-fad' a mewn oddeutu wythnos mi weithiodd Glyndŵr englyn i'r 'bywyd-fad':

> Creadur danjerus yw'r bywyd-fad
> Ar y môr y ma'n mynd ar 'i drâd,
> Cario côs gards ar hyd y wlad
> Dyna waith y bywyd-fad.

[*chwerthin*]

Wel, mae hwnna'n draddodiad da ym mhob man yng Nghymru, wrth gwrs.

Ond roedd na rai fel y Jac y Bardd arall yma ro'n i'n sôn amdano, roedd y tro ymadrodd a'r ffraethineb ac yn y blaen gydag e. Y 'peth' – petai e wedi'i eni mewn oes ddiweddarach wrth gwrs, we'dd hi'n amlwg bod defnydd y 'peth' gydag e. Dwi'm yn gwybod amdanoch chi, ond o'n ochor i o'r ford nawr fel petai, rwyf fel tawn i yn rhyw synhwyro bod y cyhoedd yn disgwyl bod rhywun sydd yn prydyddu â rhyw ffraethineb yn perthyn iddo fe. Dyw hyn ddim yn wir bob amser, ond maen nhw'n disgwyl bod e ... maen nhw'n disgwyl y ddelwedd 'na, a dyw honna ddim yn perthyn i bawb.

Weda'i wrthoch chi un o'r pethau rhyfedda, a heno sylweddoles i'r peth. Gorfod i fi alw gyda T. Llew Jones ar y ffordd i fyny i gael benthyg llyfr. A dyma ni'n dechrau siarad. 'I lle ti'n mynd?' 'I Dan y Bwlch.' 'O fues i lan llynedd neu ddwy flynedd yn ôl' ac yn y blaen. 'Ti'n mynd i ga'l noson braf fan'na' ac yn y blaen, ac yn y blaen. A dyma ni'n siarad wedyn ynglŷn â bardd gwlad, bardd gwerin ac yn y blaen. A dyma ni'n dod i'r casgliad bod yna wahaniaeth rhwng bardd gwlad a bardd gwerin, oherwydd fydda i yn cael comisiwn, wel nid comisiwn, fydd rhywun yn fy ffonio i ac yn dweud ...

Wel, fe wnaeth un heno, fe ddwedodd wrtha'i bod rhyw

10

filfeddyg arbennig o Aberteifi a deintydd wedi mynd i herio'i gilydd ynglŷn â'r ceir gyriant pedair olwyn 'ma, y *'four-wheeled drive'*. Wedi dod adre'n hwyr un nosweth a dyma nhw'n penderfynu mynd yn groes i rhyw gae, y ddau yn mynd yn ffast yn y mwd, ac yn gofyn benthyg tractor i'w ca'l nhw mas. Wel, dim byd i neud â llenyddiaeth wedd e, ond dyma'r dyn ma'n ffonio i a rhoi'r holl fanylion – 'Gweitha bennill ne ddou wnei di?' Wel nawr, ma fe'n digwydd i fi. Dyw e ddim yn digwydd i T. Llew Jones, er bod hwnnw'n anhraethol mwy dawnus na dw i, ond dy'n nhw'm yn gofyn i Llew i neud pethe felly. Y rhyfeddod mwya, roedd Isfoel yn gneud y fath beth, ond doedd ei frawd Alun ddim. Chi'n gweld, roedd Tydfor yn 'i neud e, ond doedd Jac Alun ddim. Pam? Nid ni sy'n dewis bod fel'na, chi sy'n dewis creu rhyw ffantasïau ne' rywbeth. Ond mae'n digwydd chi'n gweld.

Pan ddois i at Isfoel ac Alun, wel o'n i'm yn gorffen synnu. Dau frawd wedi'u magu ar yr un aelwyd, byw yn yr un ardal, yr un traddodiadau, yr un atgofion, yr un ddawn, yr un popeth, ond ro'n nhw'n gofyn i un weithio cerddi fel'na, o'n nhw ddim yn gofyn i'r llall. Pam ondefe?

Wel iawn, o'dd Jac y Bardd 'ma, i ni ga'l mynd yn ôl at hwn nawr, yn un o'r teip 'na. Ma'n debyg fod Jac rywbryd yn gweithio (ga'th i ladd, gyda llaw – mi foelodd trans dŵr i mewn ar 'i ben e yn Wern Medd yn Llechryd). Ond, fel gŵr oedd yn gweithio fel'ny, doedd e'm yn gweithio ar y Sadyrne ac ro'dd e'n palu'r ardd i ryw bobl bach o gwmpas y lle 'cw tua mis Mawrth 'ma, ac mi a'th at rhyw widw fach yn Llechryd i balu'r ardd. Mi gyrhaeddodd Jac yn y bore bach, wel cyn wyth beth bynnag, a'r widw fach heb godi chi'n gweld, ac roedd Jac wedi palu hanner awr, dwyawr falle erbyn cododd hi.

A ma' hi'n dod mas, diwrnod oer iawn, a medde hi, 'Jiw ych chi mâs amser hyn?'

'Wdw wir,' medde Jac. 'Ych chi siŵr o fod bytu sythu' – hynny yw, clemio. 'Wdw ma'i braidd yn oer.' 'Wel dewch miwn i'r tŷ te i ga'l rhywbeth bach i dwmo.' Wel, diawl ma Jac yn meddwl nawr, dwi'n iawn fa'n hyn, a ma fe mewn. 'Ma' *parsley wine* gen i – mae e'n beder o'd.' A dyma hi'n arllwys rhyw damed bach o *barsley wine*

11

e'n beder o'd.' A dyma hi'n arllwys rhyw damed bach o *barsley wine* ar waelod y cwpan, a dyma Jac yn 'i fwrw e lawr. 'Diawl ma e'n un bach ar 'i oed hefyd!' Medden nhw, ondefe!

Wel nawr, dwi'n gwybod am y pennill hwn, nid medden nhw yw e – mae'n ffaith.

Roedd 'na fardd arall, Jac yn byw yn Mhen Mein, bwthyn bach mewn lle arbennig. Ychydig yn is i lawr roedd 'na fwthyn arall o'r enw Tŷ'r Ddôl, ac roedd gŵr arall yn byw yn Nhŷ'r Ddôl, ac roedd yntau'n synio ei fod e'n dipyn o fardd. Ac fe fuo'r conffrontasion fel petai, wrth y gwair yn y Cringar – Jac ar ben y das a'r bardd ofydd yma yn crafu o gwmpas y das. Hen swydd bach digon ... Wel o'dd Jac â phen mantais seicolegol, yn doedd ar ben y das, ond dyma bennill:

> Dyw bardd Tŷ'r Ddôl ddim bardd atôl,
> Ma clopa'i ben e rhy bell nôl.
> A thra bod diffyg ar ei frein
> Ni ddaw i sgidie bardd Pen Mein.

Wel, nawr dyna'r math o beth oedd yn ddisgwyliadwy gan bobl.

Tua'r un adeg, dwi'n credu, yn ôl y siarad o'n i'n ei gael, rhywle o gwmpas canol/diwedd y Rhyfel Cyntaf hyd dywedwch 1930 ffordd yna, ac ymlaen ymhellach, roedd 'na greadur arall Jo Wernynad. Roedd Jo yn gweithio'r penillion yma ei hunan, ond eu canu nhw fydde Jo'n ei wneud – mewn cyngherddau derbyn bechgyn adref o'r rhyfel ac yn y blaen. Ac yn wir mae na fwy nac un o hen ganeuon Jo yn cael eu canu ar lafar yn Aberporth na o hyd.

Ac rwy'n siŵr y bydd Merêd â diddordeb yn hyn, achos mae 'na un arbennig sy'n cael ei chanu, hen gân recriwtio. Roedd 'na rhyw ddyn o'r enw Capten Davies yn prynu cwrw i'r bechgyn yn y ffeiriau ac yn y blaen, ac wrth gwrs erbyn iddyn nhw fod wedi sobri roedden nhw wedi listio ynte. Dyna oedd yn digwydd mae'n debyg mewn nifer fawr o ardaloedd. Ond roedd Jo wedi dod i glywed, a dyma'r Capten Davies yn ei chael hi ar gân mewn rhyw gyngerdd arbennig. Ond beth dwi'n synnu ato chi'n gweld, mae'r hen gân nawr – canu rhyw fath o gerdd dant oedd Jo yn ei wneud. Fe fyddwch chi'n gwybod wrth gwrs, roedd na rywbeth oedden nhw'n galw 'dull y De' yr adeg honno yn doedd e? Nad oedd e ddim byd mewn gwirionedd dim ond –hyd y gwela i, beth bynnag – ond rhoi rhyw eiriau newydd ar hen alawon! Neu eiriau ar hen osodiadau, achos oedden nhw wedi canu rhai gosodiadau gymaint nes doeddech chi ddim yn gwybod yn awr p'run yw'r alaw a p'run yw'r gosodiad. Wel, rwy'n cofio rhyw bennill neu ddau o gân Jo. Mae'n amlwg gen i mai ar Nos Galan neu rywbeth, yr oedd e'n mynd chi'n gweld, achos fel hyn oedd y gân

[*Dic yn canu*]

> Capten Davies Neuadd Wen sy'n awr yn wyllt 'i dymer
> Eisiau gwŷr i fynd i Ffrainc i ladd yr ynfyd Kaiser
> Gwell i'r diawl fynd yno'i hunan,
> Yn lle poeni'r tlawd a'r truan
> Fydde'n fendith i bob corff yn Aberporth a phobman.

Dwi'n rhyw ame mae'n rhaid mai ar Nos Galan oedd hi. Wel, wedyn, chi'n gweld, mi fues i'n astudio'r peth yma'n fawr iawn. Roedd yr ail bennill – o'i weld e ar bapur – dyw e ddim yr un fydryddiaeth â'r pennill cyntaf, ond roedd Jo yn ei ganu fe run fath yn gywir:

> Ewch i'r dref mewn cart a cheffyl,
> Trowser rhib neu trowser brethyn
> Chi gewch weled pwy fydd yno,
> Yr hen Gapten yn ei foto
> Ac yn browlan wrth 'i hunan
> 'There's a man to shoot the German'.

Mae 'na benillion eraill i'w cael ar hyd y lle petaen ni'n medru'u casglu nhw. Nid llenyddiaeth mohonyn nhw, ond maen nhw'n ddarlun hefyd a rhywbeth oedd yn arbennig i'r ardal ar y pryd. Mae'n weddol amlwg mai'r peth fydden ni'n galw yn 'feirdd talcen slip' oedd rheina – hynny yw fel beirdd cocos fyddech chi'n eu galw nhw, mae'n debyg. Ac eto roedden nhw'n fwy graenus na'r cocosfardd trŵ blŵ yn doedden nhw?

13

wedyn yn cyhoeddi llyfr – ei lyfr cyntaf – a dwi wedi clywed Llew yn gweud y peth achos fe gasglodd ei ddeunyddiau, ac fe ofynnodd i Isfoel, 'Beth yw'ch hoff gerdd chi o'ch gwaith y'ch hunan?' A wel nawr te, Isfoel yr englynion ffraeth, Isfoel y cywyddwr campus, Isfoel yr hir-a-thoddeidiwr hefyd a'r awdlwr hefyd ... Nage, hen gân fach mesur wyth saith oedd e'n ei darllen i Llew. Ac fe'i darllenai i chi, achos dwi'n credu mod i'n gwybod beth o'dd gydag e. Pan fod dyn yn arllwys ei enaid mae e'n anghofio, dyw pethe crefft a chywreinrwydd falle ddim bob amser ddim yn dod yn flaenaf – y didwylledd sydd yn cario'r dydd fan'ny, ontefe? Mae'n gân faith, ond mae nifer o bethau da ynddi. A dyma hi, 'ma'r gân oedd e'n dewis fel ei gân orau:

> Mi hoffwn cyn ffarwelio
> Gael mynd ar hwylus hynt,
> I rodio dros y llwybrau
> A gerddais filwaith gynt;
> Trwy Lôn Cwmsgôg daw chwiban
> I'r culion, hen rodfeydd,
> Ac eistedd am brynhawnddydd
> Ar fronnydd Beti'r Gweydd.
>
> Mae'r llwybrau wedi caead,
> A'r drysni erbyn hyn
> Yn cydio'n nwylo'i gilydd
> Trostynt yn eitha' tynn;
> Y llwybrau igam-ogam –
> Hen briffyrdd Cymru fu –
> Arweinient drwy'r briallu
> A'r glaswellt at bob tŷ.
>
> Mi rodiwn i Barc-wherw,*
> Ac ar fy ngliniau'r awn
> O barch i'r oriau melys
> O rych i rych a gawn.
> Rhown eto dro i'r 'Ornest'
> Nes crynu ochrau'r bryn,
> A gorwedd ar fy nghefen
> O'r golwg yn y chwyn.

(* *Parc-wherw gyda llaw oedd un o'r caeau fydde tatws a swej bob amser yn y Cilie.*)

Brasgamwn rhwng y perthi,
Ar lawer siwrnai wag
I geisio'r brithyll cyfrwys
Dan geulan Pwll-y-brâg.
Gofalu am fy einioes
Ddychwelyd fry i'm lle,
A wado bant â'r chwynnu
Fel *nigger* amser te!

Does neb a omedd imi
Gael cymryd ambell hoe,
Mae'r haul yn eirias heddiw
Uwchben y cae, fel doe;
Y prenau plwms yn pyngo
A'r cnau yn llanw'r coed,
A minnau yn fy nefoedd,
Os bu 'na nef erioed!

Ond gyda Jin a Bowler
A'r aradr drom a'r ôg
I 'redig rhwng y perthi
Ar fronnydd serth Cwmsgôg;
A sawru ar yr awel
Ar fore gwanwyn teg
Y pancos digyffelyb
Yn dod i'r cae am ddeg.

Mae Shincyn wedi huno
A'i briod gydag ef,
A Beti'r Gweydd yn chwerthin
Ynghanol mawl y nef;
Ni chaf ar fron y Penplas
Amheuthun y ddau wy,
Mae hithau, Ann, ers dyddiau,
Yn gorffwys gyda hwy.

Fe awn ar sgawt ddifyrrus
A Rossi gyda mi,
A'r dryll o dan fy nghesail
Trwy odre Pant-y-ci;
Sŵn cipial yn y rhedyn
Yn symud ôl a blaen,

15

Yn symud ôl a blaen,
A gwae i'r gota druan
A groesai dros y plaen.

Wel, mae nifer ... o, mae'r gân yn un faith iawn, chi'n gweld, ond mae e'n dod wedyn at y diwedd.

Anghofia i beth sy'n canol, rhag y'ch beichio chi.

Mae'r hen Gwm-coch yn garnedd,
Cwmsgôg yn chwalfa sydd;
A'r danadl a'r mieri
Yn llanw gweithdy'r crydd.
Mae Beti wedi tewi
A'r crydd nid ydyw mwy,
Ac nid yw'r darlun heddiw
Yn gyfan hebddynt hwy.

Os af i byth i'r nefoedd,
Fel rwyf yn sicr y caf,
Cáns yno mae 'nghyfeillion –
I mewn i'w plith yr af;
Mwynhau yr hen amgylchoedd
A'r hyfryd olygfeydd,
A chwilio lle i eistedd
Wrth ochor Beti'r Gweydd.

Bydd Shincyn Lewis yno
I'm tywys ar fy hynt,
A'i gyngor a'i orchymyn
Fel yn y dyddiau gynt.
Y crydd a Shincyn Penplas,
Plasbach a phawb ynghyd –
Y darlun eto'n gyfan
A'r fedel yno i gyd.

Mae'r hen gyfeillion annwyl
Yn ddistaw yn y gro,
Y dwylo diwyd gonest
A'r genau ffraeth ynghlo;
A phan af innau atynt
A gorwedd gyda hwy
Fydd neb i ddweud yr hanes

16

Mae rhywbeth ... mae'n bwrw dyn fan hyn, yn dyw e? A dyna beth rhyfedd yw hwnna ... wedd Isfoel o fwriad yn ymddihatru o'i glyfrwch geiriol a'i gampau cynganeddol er mwyn gweud hwnna. A wi wedi sylwi ar y duedd yna mewn rhai o'r caneuon sydd wedi'u cyhoeddi gan S.B., Alun, Isfoel, y to yna, a wi wedi sylwi ar duedd yr un fath.

Wi'n cofio – a dyw hwn nawr ddim yn sgriptiedig – o'n i'm wedi bwriadu gweud y peth, ond gan 'i fod wedi codi mi ddweda i e. Wi'n credu mai yn Steddfod Dolgellau '48, testun gosodedig y soned oedd 'Penbleth'. Ag o'n i ddim wedi dod i gylchrediad fel petai yr adeg 'ny, o'n i'm yn nabod Alun – ca'l gwybod am y peth mewn pum neu chwe mlynedd ar ôl hynny wnes i, a mynd i chwilio fewn i'r peth. A nawr roedd Alun wedi sgrifennu soned i'r hen ast fach, wedi iddyn nhw fod yn boddi'r cŵn bach. Wel 'na fe, oedd e'n rhyw fath o 'benbleth' ondefe, ond roedd hi'n gwybod beth oedd yn bod. Wedd gydag e rywbeth fan hyn oedd o'n moyn 'i weud, ac o'dd esgus yn Dolgellau i'w weud e. Biti gweud taw yn y trydydd dosbarth ddaeth e cofiwch, ond dim gwahaniaeth am hynny. Doedd y beirniad ddim yn digwydd bod yn un oedd yn cadw cŵn! Ond ew, 'tawn ni'n medru cofio honno nawr, mae'r tair llinell olaf yn ysgubol, chi'n gweld, i rhyw ddyn sydd wedi cael profiad o'r fath beth.

> Chwiliodd amdanynt drosodd lawer gwaith
> O wellt y sgubor i ben clawdd y llyn,
> Gan fanwl ffroeni popeth ar ei thaith
> A'i thor a'i dwyres dethau bach yn dynn.
> Heddiw ni ddôi am hoe i'r gegin fach
> Na dilyn Wil a'i gert a'r gaseg froc,
> Na derbyn neb i'r clôs â'i chyfarth iach,
> Ac anghofiedig bethau oedd y stoc.
> Gwrandawodd ennyd dinc y gwellaif gloyw
> A'm cais i'w hannos fry i gylchu'r foel
> Ysbonc ddireidus a'r chwibaniad hoyw,
> Fel petai eto'n rhoddi arnaf goel.
> Ond troes yn ôl i warchglawdd llyn y rhod
> Ac ymbil yno ar i minnau ddod.

Sylwch ar y gair ymbil yna, chi'n clywed yr hen ast fach [*dynwared sŵn ci yn crio*] 'yn ymbil yno ar i minnau ddod'. O mae honna'n 'y'n symud i bob tro. Ond 'na fe.

Ymhlith papurau Isfoel, ymhlith y papurau cyhoeddedig – neu cyhoeddadwy falle – ohonyn nhw, roedd ef trwy gydol ei oes yn ysgrifennu rhyw ganeuon ar gyfer eu canu gan ŵr o'r enw Ifan Nant Popty. Ac un waith glywes i Ifan yn canu erioed, eto yn null y De, a'r gamp fawr allwn i feddwl oedd canu gymaint o'r pennill a fedrech chi ar un anadl. Waeth fel'ny o'n i'n teimlo bod Ifan yn canu, ac wrth gwrs, roedd Isfoel yn cael y cyfle yn y caneuon hynny i ganu i bob math o dasgau. 'Y byd yn newid' oedd un o ganeuon enwog Ifan.

> Newid mae y byd o hyd
> A newid mae ei ddynion,
> Newid hen arferion fyrdd
> A newid ffyrdd yn gyson.
> Newid bwyd a newid dillad,
> Llawer amlach nawr na'r lleuad,
> Newid ffordd o weithio menyn,
> Newid hefyd wrth wneud cosyn;
> Dim ond un peth sydd heb fynd ar goll
> Sef ffiol doll y felin.

A wedyn o'dd Ifan yn 'i hagor hi mas wedyn.

> Nid oes calcho yn y wlad
> Fel pan o'dd 'Nhad yn grwtyn,
> Troi tomenni gyda'r wawr
> A hynny heb fawr o enllyn;
> Torri clawdd a gweithio adwy –
> Dyna amser gwael ofnadwy;
> Nesa peth i ddim o gyflog
> Ond daeth pellach wawr odidog,
> Sais a chi a basig slag
> Mewn bag a weier bigog.

Dyna dalent ondefe! O'dd y ffaith bod Ifan yn canu fel'na, oedd e'n gymaint rhan o'r peth – yn rhan o'r hyn oedd gan Isfoel i'w ddweud. Wedd o'n rhan o'r adloniant:

Roedd y merched glân ar lawr
O flaen y wawr yn brydlon,
Godro defaid ar y banc
I dorri gwanc y gweision,
Nyddu dafedd, gweu hosanne
A chordeddu yn y bore,
Pe bai'r rheiny'n ferched hawddgar
Yn ailymddangos ar y ddaear,
A gweld eu merched hanner du
Yn gwau *Anti MacCasar* (?)

Shwt ma hwnna'n dod iddi?!

Anhepgorion ffermio (gynt)
[*yn canu*]

Mae'n rhaid i bawb sy'n cadw ffarm
Yn gymen a llewyrchus
I gael yr offer, dyna'r ffaith,
Cyn gwneud y gwaith yn hwylus.
Dau gart cust er maint y costau
Ac un gambo fawr heb ochrau
Car a phoni ar arad, whilber,
Mashin dyrnu, oge, pwlper,
Iâr a cheiliog, hwyed, gwydde
A gwraig gref i hela wye.

Ie!
Beth yw hon te? O ie, ma' un arall.

Ni welais lawer iawn o lun
Ar undyn byw heb fwyell,
A llawlif, trawslif, bilwg mawr
A brwsh sgubo llawr y wyntell,
Mae'n llifannu carreg hogi,
Clocsen fach a budde gorddi,
Peiriant torri gwair a beinder,
Mashin tynnu tato, sgyffler,
Bocs giwano, mowlder, ysgol
A gwraig dda a phoced weddol.

19

Hwnna oedd yn tynnu'r syndod chi'n gweld, achos roedd gŵr arall nid anenwog yn y cylchoedd 'co, oedd Ifan Jenkins Ffair Rhos. Nawr, fues i'n meddwl, y rheswm bod pobl yn gofyn i fi i neud rhyw ganeuon o'r fath ac nid i Llew, oherwydd bod Llew, falle, a rhyw ddelwedd mwy clasurol o'i gwmpas e. Iawn, ondefe. Ond o'n nhw'n gofyn i Ifan Ffair Rhos, ac roedd Ifan yn ŵr gradd ac os bu clasurwr erioed Ifan oedd e. Eto'i gyd, cân gyntaf Ifan yn ei gasgliad e, yw cân o'r un math. Mae'n rhyfedd bod cân o'r un fath, 'ma hi'n awr te. Y Ffair, mae'n ei galw hi, ond fe glywch chi'r gwahaniaeth, nid y gwahaniaeth yn y defnydd o bosib, ond y gwahaniaeth yn y ffordd ma'n nhw'n gweld ... yn trafod. Isfoel, nawr, yr un math o ddefnydd sydd gyda nhw.

Ifan Ffair Rhos yw hwn:

> Y pumed dydd ar hugain
> O Fedi yn y fro,
> Lle ganwyd fi a'm codi
> Mae'n ffair, mae'n wir 'i bod hi,
> Ar ddarfod er ys tro.
>
> Ond yr oedd hi'n ffair ddihafal
> Ers chwarter canrif gynt
> Lle cyrchai pob rhyw hogyn
> Y prysur a'r diogyn
> O bedwar cwr y gwynt.
>
> Roedd gwŷr Glog Fawr a'r Esgair
> Fis cyn ei dyfod hi
> Ar gwrw a baco'n tolio
> Ac ambell un yn brolio
> Y mynnai dd...l o sbri!
>
> A phob rhyw fath ar ddynion
> A welid ar bob llaw;
> Wynebau aml eu meflau,
> Iddewon tew eu gweflau
> Yn gymysg drwyddi drawl

Chi'n sylwi, mae Ifan yn canu'r un math o beth, ond wedyn yn mynnu cael rhyw wreiddusrwydd ecstra. Wel, mae hwnna'n rhyw dro cymeriad rwy'n methu ei ddeall yn iawn. Ond wedyn, pan fydd rhywun yn gofyn i fi i neud rhyw fath o gân, yna wyth saith neu wyth chwech neu saith chwech yw hi bob tro, byth yn poeni mynd i wneud cywydd neu englyn. Neuthwn i neud rhyw englyn ysgawn, wrth gwrs. Ond mynd yn gân fel'na mae hi. Beth y'n ni'n ei neud, wrth gwrs, yw efelychu hen fydrau'r emynau, ontefe, oherwydd o bosib bod yr emynau mor gyfarwydd bod ni'n disgwyl y rhythmau hynny bellach. Ai dyna o bosib yw e? Cofio?

Yn ein hardal ni, roedd na hen dŷ tafarn yn perthyn i stad Gogerddan, *Gogerddan Arms* oedd ei enw fe. Hen fwthyn bach, wel, tŷ bach gweddol 'te – rhowch ddeng mlynedd, bymtheng mlynedd 'nôl. Cwmni Buckeley oedd berchen y lle, a mi brynson gae o ddefed, rhyw dair erw, a chodon nhw restaurant fawr. Anferth o beth, welwch chi rioed shwt beth. Y moddion diweddara ynddi wrth gwrs – gan gynnwys Sais i edrych ar ôl y lle! Ond, nawr o'n nhw'n ffaelu penderfynu beth fydden nhw'n gneud nawr â gweddill y cae yma. Roeddwn nhw wedi plannu coed duon yn ei gornel e, o'dd y restaurant yn mynd â thua hanner cyfer, ac yna roedd yna thua cyfer a hanner ar ôl. Wel, o'dd y dyn yma fel o'dd e yn deall dim. Fe'i cynghorwyd e i osod tatws – tato i ni – yn y cae yma. Ac wrth gwrs, gan 'i fod e'n cadw tŷ tafarn, fe ga'dd ddigon o gyngor yn do! Beth bynnag, fe'i cynghorwyd e i osod tato, ond gyda'r profiso ei fod e'n gofalu na fydde dynad (danadl poethion hynny yw), yn tyfu, oherwydd bod hen dir nag oedd wedi cael ei aredig ers blynyddoedd yn dueddol o dyfu dynad. Ac roedden nhw'n cynghori'r dyn i fynd allan tan stop tap dri o'r gloch bob prynhawn i dynnu'r dynad 'ma, ynte. Wel, mi fuodd yn gofalu yn gydwybodol iawn am y dynad a'r tato yn ystod yr haf. A phan ddaeth hi'n hydref, ac yn dymor tynnu'r tato, mi grynhoiodd dynion y greadigaeth yng Ngogerddan i dynnu'r tato, wrth gwrs, gan mai Gogerddan oedd e! Wel nawr, o'dd y bobl oedd yn cynghori – chwarae teg i'r dyn – gweithio bwyd cŵn oedd gwaith un, a becer oedd y llall. Wel, dynion fel'na. 'Sa fe wedi gofyn i ambell i ffermwr, fydde'n rhywbeth, ond o'dd dim llawer o lewyrch ar y tato, gawn ni'i rhoi fel'na! Fe ganwyd cân i'r tatw:

> Tynnu tatw yng Ngogerddan
> Oedd un diwrnod mawr i'r diawl
> Un ar ddeg o barau dwylo

(Nage)

> Ond ar ddiwedd y perfformans
> Chawd dim digon i wneud cawl;
> Un ar ddeg o barau dwylo
> A bwcedi'n dod ynghyd
> A Owen Trefalis (*gŵr arbennig*) ar ben tractor
> Ac yn peswch yr un pryd.

Waeth roedd hwnnw'n besychwr arbennig iawn – dyna'i arbenigrwydd mwyaf e! Wel na fe, pan na fedrwch chi beswch sdim llawer ar ôl os e!

> Rhyfedd iawn fu'r estimashion
> Trwy yr haf am faint y crop –
> Hwnnw'n codi ac yn gostwng
> Yn ôl fel roedd trêd y pop!

> 'Naw deg tunnell falle rhagor,'
> Medde Ifor Tanygroes
> 'O saith i wyth,' medd Preis y ficer
> Ond sticia di at bobi toes.

> Owen Trefalis oedd yn coethi,
> Wedi cario arno'n ffêr –
> Gyrrodd trwy un drilien gyfan
> Heb gofio rhoi'r mashîn yn gêr.

> P'un nad oedd e'n gêr neu peidio
> Wnaeth e ddim gwahaniaeth mawr –
> Roedd na jest run faint o dato
> Ar ei ôl i'w weld ar lawr.

> Clywais sôn am y Majestic,
> Aren Banner a'r Cwîn Ann,

Y border bach oedd bri Gogerddan –
Un yn awr ac yn y man!

Clywais sôn am dato *Mannau* (?)
Clywais sôn am *Meechan Stils* (?)
Ond roedd tato bach Gogerddan
Heb agor 'u llyged yn y drils.

Ond pwy ryfedd roedd y landlord
Wedi bod yn fisi iawn
Trwy yr haf pan gawsai gyfle
Yn tynnu dynad bob prynhawn.

Ond chwarae teg mae'n rhaid cyfaddef
Roedd y dyn yn cymryd risg,
I gymryd gair y pobwr bara
Beth yw dynad a beth yw gwrysg.

Wel nawr, i'r cyfeiriad 'na mae dyn yn mynd, ondefe. Ond, ond ...
fel wedd yr enghraifft 'na o waith Isfoel yn dangos, chi'n gweld, pan
fyddai'n dod at y dou dri pennill 'na:

Mae'n hen gyfeillion annwyl
Yn ddistaw yn y gro,
Y dwylo diwyd gonest
A'r genau ffraeth ynghlo.
A phan af innau atynt

ondefe,

A phan af innau atynt
A gorwedd gyda hwy,
Fydd neb i ddweud yr hanes
Am 'run ohonom mwy.

Yn y symlrwydd mynegiant 'na, os 'na symlrwydd chi'n alw fe – os
mai darlunio symlrwydd y'ch chi, yna defnyddio'r symlrwydd na,
ontefe? Ac rwy fel swn i'n meddwl mai rhywle yn y cywair yna yr
ow'n ni pan gyhoeddodd Alun (Alun Cilie nawr), o'dd e'n ddeg a
thrigain oed chi'n gweld, a wedd e wedi penderfynu medde fe, os
bydde fe wedi dod at y 'Rubicon di-adlam' – y bwlch hwnnw –

bydde'n rhaid cael parti. A mi gafwyd parti yng Nghilie, ac ro'dd cegin yn y Cilie, o'dd e'n agos at seis y gegin 'ma. Na, o'dd e'm cweit … wel, o'dd pawb yna, ac wrth gwrs o'n nhw'n perthyn i'w gilydd lawr ffordd 'na chi'n gweld – Llangrannog ffordd yna, fel perfedd cath. Gwasgwch chi gwt un man hyn a ma'n llefen yn Llangrannog. Beth bynnag, wel nawr, a phawb jest yno yn gefnderod ac yn ail gefnderod a chyfnitherod ac yn y blaen, pawb yn cynganeddu chi'n gweld, Ac wrth gwrs roedd rhaid i mi fynd lan yno, ac o'n i'n meddwl wrth fy hunan, wel fydd hi ddim un rhyfeddod i weithio englyn a chywydd na dim byd arall fan hyn, felly gana'i gân fydd … a wyddech chi, allan o ddeg cerdd ar hugain ga'th eu darllen y noson 'ny, dim ond y fi oedd 'na nad oedd wedi cynganeddu. Ond nawr o'n i di penderfynu nawr y bydden i'n casglu ynghyd rai o'r 'strôcs' mawr o'dd e wedi'u torri yn ystod ei oes yn ôl ei hanes e.

Wel, enghraifft o'r peth nawr. Pan o'n nhw'n ail-godi tŷ'r Cilie nôl tua canol y tridegau mae'n debyg, roedd y bechgyn wedyn yn gorfod mynd allan i gysgu yn y storws, yn y llofft stabal, ac ew, o'dd Alun yn cofio'r adeg hynny – gaeaf oer dychrynllyd, a llygod mawr. O'n nhw'n cwyro'u clocs ar nos Sadwrn wrth gwrs, a'u rhoi nhw allan i sychu. O'dd na gymaint o gŵyr ar y clocs, chi'n gweld, o'dd dim posib eu ffeindio nhw'n y bore, o'dd llygod mawr yn llusgo nhw ar hyd y llawr! A neb yn meddwl am dorri ewinedd ei draed, o'dd y llygod mawr yn edrych ar ôl hynny!

O'dd na sôn wedyn amdanyn nhw – y man cyfarfod yn eu plentyndod nhw – peth o'dd wedi hen orffen cyn fy nyddiau i wrth gwrs – o'dd Cnwc y Glap yng Nghwmtydu. Falle bod rhai ohonoch yn gwybod am Gwmtydu, a'r hen odyn galch, ac roedd na damaid o laswellt o gwmpas yr odyn, a dyna Gnwc y Glap, mae'n debyg, lle byddai'r bechgyn ifanc yn cyfarfod ar fin nos ac yn y blaen. Ac yn gwneud cryn dipyn o felltith mae'n debyg. Ond doedd dim plisman yn nes na Brynhoffnant yr adeg honno, a hwnnw ar gefen beic, a rhiw hir, fawr yn llygad yr haul yn dod lawr o Frynhoffnant am Gwmtydu fel bod pawb yn medru'i weld e'n dod, ddwy filltir go dda. Wel, oedd hi'n hwyl fawr rhyw brynhawn mae'n debyg, a dyma weld y beisicl yn dod lawr. Ond, oe'n nhw'n rhyw deimlo fod cymaint o arddeliad ar yr hwyl, bod hi'n biti i orffen y gêm, beth bynnag oedd ymlaen er mwyn dyn y got las, ac fe gynigwyd bod Alun yn mynd mas ag e'n y bad. Dim cwch byth yng Nghwmtydu, bad. Pob un â'i fad wrth gwrs ar y traeth. A dyma osod y plisman yn y bad, ac Alun yn ei rwyfo fe allan a rownd i Graig Cefn Parc o'r golwg. Ond dwi'n ofni bod nhw'n torri'r gyfraith wedyn hefyd. Tynnu'r corcyn o'r twll a'i dafle fe dros yr ochr. Gwaeth na'r cyfan, peri i'r plisman eistedd yn y twll i arbed i'r dŵr...! Medde nhw, medde nhw!

Wel, mae rhai pethau o'n i'n gwybod amdanyn nhw, sef Steddfod Llangefni '57 ife? Nage, Caernarfon oedd honno. Lle oedd Tilsli a 'Cwm Carnedd', '55? '57? '58 Glyn Ebwy, '59 Caernarfon, ie, ie. Wel nawr, o'n nhw wedi gyrru adre yr holl ffordd, dau gar, Alun yn gyrru un car. O Langefni yn ddianal, bob cam lawr i Bentre-gât, a mi fwrodd mewn i bont Llanarth. Wel o'dd Alun yn tyngu bod eisiau lledaenu pont Llanarth ers blynyddoedd. Wel nawr rhyw strôcs fel'na ondefe. A phan fuodd o mewn ysbyty wedyn, ychydig amser cyn iddo farw, nid y tro olaf, fuodd o mewn i ysbyty. Ac fe anfonwyd cywydd iddo fe wedyn, fe anfonodd yntau gywydd yn ôl:

> Sut hwyl sy' iti Alun –
> Ein Rabi ni erbyn hyn?
> Oes defnydd darllen gennyt
> Epistol Paul neu waith Peate?

Fel 'na nawr. Ond teimlo wedyn falle bod e fel hen widman chi'n gweld, a gormod o'r nyrsus ma'n gwneud sylw ohono fe. O ie'r, cwpled mawr:

> Yn dy breim, buaset bron
> Wedi matryd y Metron!

Beth bynnag, o oedd e wedi bod ar lan afon Iorddonen, o'dd e wedi bod yn bracso, hynny yw yn – beth fyddwch chi'n weud am 'paddling' yn Saesneg, cerdded yn nŵr y môr, mond gwlychu'ch ...? (*O'r gynulleidfa*: Gwlychu traed, padlo) Gwlychu traed. Padlo. Rhywbeth arall? Bracso weden i am ryw reswm. Sylwch chi eto, mae rhyw gân gan Wil Ifan am fracso yn y dail yn yr hydref. O'n i'n gweld hynna'n syniad da. Ond beth bynnag, bracso. Wedd Alun wedi bod yn bracso yn yr Iorddonen, ac wedi gweld drws Paradwys yr ochr draw. A synech chi pwy o'dd tu fâs! Wel beth bynnag nawr, mae'n rhaid crynhoi'r pethau 'ma nawr i ryw fath o gân iddo fe ar ei ddegfed pen-blwydd a thrigain:

Rhowch fwyell yn y balfais ...

Ta beth wedodd e o'dd, os byth gwela i ddeg a thrigain bois, rhowch fwyell yn y balfais. A bilwg yn yr ham, wedes i – wel, na fesur y gân wedi cael ei ddewis ondefe.

Rhowch fwyell yn y balfais
A bilwg yn yr ham,
Dewch mas â'r boiler tato
Drwy'r pil, a'r caws a'r jam.
Dewch chithau fois Llandysul
I dapio'r gasgen fach,
Mae Llywydd y Gymdeithas
Yn ddeg a thrigain, iach.

Ei fod yn fyw o gwbwl,
Yn wir, y mae'n beth syn,
Waeth ni fu'r fath ebolyn
Yn troedio'r broydd hyn ...

Gyda llaw, mae'n debyg bod eu tad pan oedden nhw'n blant bychain wedi mynd i Landysul i'r mart rhyw ddiwrnod, a'r diwrnod cynt wedi bod yn boddi cŵn bach, eto! Pan ddaeth e adre mae'n debyg, S.B. yw'r nesaf at Alun yn yr olyniaeth, dyna lle'r oedd S.B. yn cerdded clawdd y llyn, a chwdyn mawr 'dag e. 'Bachgen beth sydd 'da ti fan'na?' 'Alun!'

Ei fod e'n fyw o gwbwl,
Yn wir, y mae'n beth syn,
Waeth ni fu'r fath ebolyn
Yn troedio'r broydd hyn.
Fe ga'dd y gwaetha'n sobor

Pan oedd yn grwtyn bach,
A rhai o'i frodyr hyna'n
Ei glymu yn y sach.

Bu'n cysgu yn y storws
Yng nghwmni'n llygod mawr,
A'r rheini gymaint deirgwaith
Â'r llygod sy'n bod 'nawr.
Pan godai yn y bore
Roedd ei sgidiau yr holl wlad,
A'r llygod a ofalai
Am gropio'i 'winedd trâd.

Fe greodd lot o gynnwrf
Yn eisteddfodau'r lle,
A bu yn hwylio'r tonnau
Â'r bobi yn y Bê,
Mi welodd stormydd cesair
Fel platiau ar y clôs,
Ond rhywfodd fe ddaeth allan
O'r cyfan yn jecôs.

Ac nid yw'r bont yn Llanarth
Bob amser wedi bod
Cyn lleted ag yw heddiw,
Ac iddo ef mae'r clod!
Un bwt fach wrth fynd heibio
Â'r Ostin mawr a roes,
Ac fe wnaeth job a gymrai
I'r cownsil hanner oes.

Bu'n bracso'n yr Iorddonen
Fwy nag unwaith, mynte fe,
Ac o gwmpas drws Paradwys
Fel petai i fwcio'i le,
Ond nôl y daeth bob gafael
Yn ddiogel o bob clwy,
Bydd raid i ni gael nacer
Cyn cael ei wared mwy.

Gwaetha'r modd doedd y broffwydoliaeth olaf ddim yn hollol gywir. Wel nawr, os beirdd, neu fardd gwerin, yna dwi yn hunan chi'n gweld, yn gweld dim o le mewn gorfod canu'n Saesneg bob hyn a hyn. Dwi wedi gorfod ei gwneud hi lawer gwaith. Dim gorfod, dewis – oherwydd dau Wyddel a dweud y gwir. Wedd un ohonynt wedi prynu gwesty – yn y gwesty hwnnw y dechreuodd yr Henneseys gyda llaw. John Dailey oedd enw'r dyn, ond yn yr Wyddeleg mae'n debyg, Sion O'Dole. O'dd 'na ŵr arall wedyn yn Aberteifi, Des McGee, ma hwnnw 'na o hyd, wedi agor busnes grafel a swnd adeiladu ac yn y blaen. Wel, mae'n debyg bod y ddau Wyddel, fel na fedrai neb ond dau Wyddel am wn i, wedi penderfynu nawr nad oedd dim yfed rhagor i fod. A'r peth cynta' o'n nhw'n neud wrth gwrs o'dd arllwys bob i lased er mwyn sicrhau'r fargen. Ond mae'n debyg bod pethe wedi mynd allan o reolaeth rhyw chydig, a dyma ganu cân. O'n i'n gweld y rhythm, y fydroleg, yn awgrymu rhyw sain yn 'y nghlust i chi'n gweld.

'Twas on a Sunday morning
When they'd sworn to go TT
And the bells to mass were calling
That O'Dole and McGee.

''Tis a little drop of whiskey
In the house I have with me
Let us drink good bye to drinking,'
Says O'Dole to McGee.

What a little drop of whiskey
A brimming bottle proved to be,
'Sure to be a shame to waste it,'
Says O'Dole to McGee.

So a drink became a second,
And a second into three,
'Let the devil do the counting,'
Says O'Dole to McGee.

Pretty soon that brimming bottle
Was as dry as dry could be,
So they went and got another
Did O'Dole and McGee.

> That so few give up the drinking
> Surely no surprise can be,
> There are few that can afford to
> Like O'Dole and McGee.

Wi'n gweld hwnna, chi'n gwybod, mae e bant o'r un traddodiad yn dyw e. Ond wedyn, allan o hwnna fyth mae rhyw bethe'n gallu dod chi'n gweld. Fe gofiwch yr achlysur, os nad yr adeg, pan garcharwyd Waldo Williams am wrthod talu treth incwm ar egwyddor ei fod e'n cael ei ddefnyddio at arfau ac yn y blaen ondefe. Iawn i bawb ei ddaliadau. Ond 'ych chi'n gweld yn Hwlffordd mi ddwedodd Cadeirydd y Fainc, falle bod e'n meddwl bod e'n ymadrodd smart dwi'm yn gwybod, ond roedd e'n ymadrodd oedd yn taro fi – 'If you want to be a martyr,' medde fe. Wrth Waldo o bawb ondefe. Nid yn unig o'n i'n teimlo eu bod nhw wedi gwneud yn fach o Waldo, ond o'dd e'n gwneud yn fach o ferthyron ond do'dd e. 'If you want to be a martyr.' Gystal â dweud, 'O wel nawr te, os o'ch chi'n moyn bod yn ferthyr nawr allwch chi wneud hyn a'r llall,' ondefe. Wedd e'n groes y' ngraen i rywffordd i ddechrau fod e'n damshgen cerddi Waldo, ond myn uffern damshgen merthyron wedyn. O synfyfyrio oboutu'r peth, mi drois rhyw gân Saesneg mas, ac mi wrthododd y papurau lleol ei chyhoeddi hi. Wel, ma siŵr bod rhywbeth ynddi hi!

> If you want to be a martyr
> Then Pembrokeshire's the place,
> A roaring rampant lion
> Is there for you to face.
>
> 'Twas he who fought the Eagle
> Not so very long ago,
> In order to determine
> Whether Right was right or no.
>
> 'Twas he who saved our freedom
> To choose our own beliefs,
> 'Tis he who each November
> Reminds us of his griefs.

29

Saying it with poppies
That war's the devil's tool,
But share his blood-won wisdom
And you'll be called a fool.

He may have stopped the Eagle
And all he battled for,
But the day he mocked the martyr
Was the day he lost the war.

No doubt a rampant lion
Must eat, that he be strong,
And gird him for the next round
In the fight 'tween right and wrong.

If you would be a martyr
Give not to him his due,
And the gates of Swansea Prison
Will open wide for you.

If you've a faith unyielding
(Of which I'm not possessed),
You, too, can be a martyr
In the courts of Haverfordwest.

'Sai'n gwybod pam nad a'th hi i'r papur, cofiwch, we'dd dim i weld yn rong ynddi!

Rhywbeth bach i 'sgawnu, hen benillion, ond shwd allen nhw fod yn hen benillion a finne newydd 'u gwneud nhw!

Pan own i'n caru slawer dydd
A'm ffydd ar ei phriodi
A minnau'n wan a'r siwrnai'n bell
Cawn ambell wy bach dandi.
Rwy'n briod nawr a chês fy siâr
O glochdar erbyn heddiw,

Dyn drws nesaf wrthi'n brysur
Dysgu'r wraig i ddreifio modur,
Mewn pythefnos lawr i'r pentre
Moyn TV i'w chadw adre.

Mynd i'r ffair i fwrw cneuen,
Mynd i'r ffair i saethu dryll,
Mynd i'r ffair i chwilio wejen
Er y mod i'n ddigon hyll.

'Nelu'r dryll a methu'r targed
Methu bwrw'r cnau i lawr
Methu'n lân a ffeindio wejen
A dod adre'n dderyn mawr.

Dwi'm yn gwybod y rheswm mae 'na achlysuron yn dod mae
disgwyl i fi ganu'r caneuon 'ma o ryw fath, ond fel pan briododd
Tydfor, er enghraifft, wel allech chi feddwl nawr os o'dd angen cân
raenus, glyfar, gynganeddol gywrain, mai yn y fan honno y bydd
angen hi, ondefe. Ond dim fel 'na y gweithiodd hi. Gyda llaw, o'dd
Tydfor yn enwog, falle cyn enwoced â fi, am 'i hirhoedledd mewn
cyrraedd ambell i gyhoeddiad. Wedd e'n weddol siŵr o ddilyn y
calendr, o'dd e'm yn saff o ddilyn y cloc! Weden i fel'na.

Mae Tydfor yn priodi
Am hynny fe wnaf fet,
Os daw mewn pryd i'r pwdin
Fe fytaf i fy het.

Ond Ann (*ei wraig*), cymerwch gysur
Cytuno i gyd a wnawn –
Os yw ei gloc e'n araf
Mae'i galendr e'n iawn.

Pan aem i ben i gampio
Ein dau hyd ganol nos,
Roedd e'n mynd adre i odro
Am ddeuddeg yn jacôs.

Ond pan ddoi'r lori drannoeth
Roedd y 'stenau i gyd yn llawn,
Os oedd ei gloc e'n araf
Roedd y calendr yn iawn.

Mae'r rheiny sy'n priodi
Yn amal yn cael plant

31

Ma' hynny yn loedig
O'r deunaw i'r hanner cant.

Efallai ymhen blwyddyn
Mai newydd da a gawn
A Thydfor wedi profi
Fod 'i galendr e'n iawn.

Wrth gwrs, ma'r achlysuron 'na'n codi hefyd – ma'n nw'n dweud
bod Isfoel, ma T. Llew yn dal i ddweud wrth gwrs, mai rhan o
swyddogaeth bardd gwlad, bardd gwerin, fel mynnoch chi, yw
disgyblu. Os o'dd rhywun yn, nid cicio dros y tresi, ond yn
ymddwyn yn anghydnaws â'r gymdeithas, wedwn ni fel'na'n 'de.
Beth bynnag o'dd e, roedd 'na gân yn rhywle'n cael ei chanu, lle
bynnag fydde 'i fwyaf cyhoeddus, ac wrth gwrs ma'r peth hwnne'n
dal o hyd. Ag fe ddoda i ddou enghraifft i chi o jest yr un peth, yr
un achlysur cododd y peth a gweud y gwir 'tho chi.

O'n i flynyddoedd yn ôl yn mynd â moch i'r mart, naw o
berchyll gen i. A dyma fi'n gweld dyn yn dod draw o'dd yn arfer
prynu moch, ac yn gofyn faint o'n i'n moyn am y moch. A wi'n
credu mod i wedi dweud saith a chweugain o'dd yn bris mawr yr
amser 'ny. Roiodd o saith a choron, wel wedd e'n mynd i safio fi
nawr i fynd lawr i Aberteifi ontefe, a mi gwerthes i'r moch fan'ny.
A mi es lawr i'r mart wedyn i ga'l gweld sut o'dd pethe'n mynd, wel
bois bach 'sen i wedi cael rhyw wyth o bunnoedd falle. Iawn, o'n i'n
gweud wrtha'n hunan, wel reit o – bargen yw bargen ondefe, ond
jiw dere hanner ffordd i gwrdd â fi, mynte fi. Fydda 'dag e wedyn yn
'i boced chi'n gweld obeutu goron y mochyn, we'dd hynny'n arian
mawr 'radeg 'ny. O na, dim byd, dim byd. Iawn, a mi weithwyd
soned iddo fe. Wel nawr, dwi'm yn gwybod a fyddai soned y modd
hollol i wneud e, we'dd e'n rhy glasurol o'r braidd. Ond mi gewch
glywed y soned:

Fe'm daliodd Sam yn deg mewn naw o foch
Pan glywais law cyn deall naws y mart,
Pe deuthent dan y morthwyl dorraid groch

(Ro'dd hwnna'n rhy glasurol i Sam ddeall hi i ddechrau, ondefe!)

Pe deuthent dan y morthwyl dorraid groch
Gwn heddiw y gwnawn bumpunt ar fy nghart;
Ond dyna hi, mae'n ofer codi pais
Ys dywed y ddihareb honno nawr,
A rhaid fydd imi mwyach oddef llais
Pryfoclyd hwn a'r llall o'm dwli mawr.
Gocheled ef rhag gor-lwyfannu'i ffawd
A welodd gyfle gwych i ymfrashau,
Pan wnelo camgymeriad gorff o gnawd
Llai tebyg yw o'r hanner rhwng ni'n dau.
Fe all y delir yntau maes o law
'Mae'n tynnu yma i lawr, yn codi draw.'

Enghraifft o'r un peth, wel mi es a moch wedyn i Gastellnewydd.
Busnes rhyw bermits chi'n gweld. Maen nhw'n dod bob hyn a hyn,
a chewch chi'm mynd â mochyn 'mond i'w ladd heblaw 'ych bod
chi'n cael hawl gan ryw bobl bwysig. Ac maen nhw'n dod draw o
Gaerfyrddin i Gastellnewydd, tri o ddynion a rhestr o feiros a
phapurau ac yn y blaen. A sied fach gyda nhw yn y gornel wedi ei
'neud at y gwaith, a mi ges rhyw bapur, ac yn ôl a fi, dod â'r moch.
Wel diawl gwrthodon nhw, o'n i'm 'di ca'l y permit mewn pryd ac
yn y blaen, ac yn y blaen. Os do fe, dyma'r gân ac fe sticiwyd hi ar
ddrws y sied! Chwarae teg bu tipyn llai o ffwdan am dro bach
wedyn.

Bois y permit

Dathlwn glod y dynion pwysig
Sydd yn cerdded y cae mart
Sy'n rhoi permit i chi gael permit
Cyn ca'th mochyn fynd lan i'r cart.

Nid y ffermwyr na'r bwtsheriaid
Sydd yn bwysig yma'n awr,
Bois y permit sy'n penderfynu
A yw'r trêd fod lan neu lawr.

Dod bob cam o dref Caerfyrddin
Yn y bore, bob yn bâr
Gyda beiros lond pocedi
A phapurau lond pob drâr.

Nid yw jobyn mor beryglus
Bob dydd Gwener yn ddim jôc,
Rhaid cael dau yn gwmni'i gilydd
Waeth fe alle un gael strôc.

Beth well yw dyn o fagu mochyn
Petai hwnnw'n hams i gyd –
Oni bai am fois y permit
Fydde fe yn werth dim byd.

Oni bai am fois y permit
Fydde'r hwch ddim cymryd bâdd,
Fedrai dyn ddim mynd i Smithfield,
Na newid twlc y mochyn lladd.

Oni bai am fois y permit
Gallai Tomos Jones (*hynny yw'r arwerthwr*) gau'r siop,
Bydde'n slac ar drêd y beiros
A redudans sy'n y Co-op.

Oni bai am fois y permit
Ymhle bydde'r Mochyn Du –
Nhw sy'n cadw trefn ar bopeth
Diolch amdanynt weda i.

Dim rhagor o sôn am y bois yna!

Ro'n i'n mentro cyhoeddi ambell un o'r hen gerddi 'ma. Wi'm
yn gwybod pam, achos dwi'm yn siŵr y bydden nhw fawr o
ddiddordeb i bobl eraill sydd tu allan i gylch sy'n gwybod
rhywbeth. Ond eto, dwi'm yn gwybod, ma rhywbeth ynglŷn â
pennill sy'n canu – nid 'mod i'n gweud bod rhain yn canu i gyd –
ond wi'n 'nelu ati, dwi'm yn gwybod beth yw e … fe heriwn i rywun
i ddiffinio'r peth. Ond fe glywch chi bennill, ac mae'n bennill da
cynhwysfawr, doethineb mawr ynddo fe, cofiadwy, ac fe glywch chi
bennill arall wedyn, sy'n canu rhywffordd. Mae'i lefaru fe yn canu
ynddo fe'i hunan, heb sôn am 'i roid e ar gân ondefe. Ac yn y lle yna

yn rhywle wi'n credu, ma busnes y canu gwerin 'ma'n dod chi'n gweld. Ma'n rhaid i'r hen bennill wrth 'i lefaru e, ganu rhywffordd. Wel, weda i'r hen gân fach eitha dwl 'ma wrthoch chi, ond wi'n credu 'i bod hi'n enghraifft o'r peth wi'n olygu:

> 'Nôl yn y saith degau
> Roedd hwch yn Ffynnon Cîff (*lle yn Ferwig*)
> A gaed yn methu sefyll
> Rhyw fore yn y nyth.

Wel 'na rhyw enghraifft ynte, 'Ffynnon Cîff' a 'nyth' yn gywir, dyw e ddim yn odli, ond ma'n swno'n briod, ond ydi fe? Mae'n canu iawn.

> 'Nôl yn y saith degau
> Roedd hwch yn Ffynnon Cîff
> A gaed yn methu sefyll
> Rhyw fore yn y nyth.
>
> Dyna lle'r oedd hi'n eistedd
> Gan ddal 'i phen yn gam,
> Fel petai wedi meddwi
> Ac yn hidio dim o'r dam.
>
> Fe dreiwyd pob rhyw ddyfais
> I'w denu at ei bwyd,
> Bwced a bar o Chewit
> Ac ysgwyd barau'r glwyd.
>
> Ond bob tro ceisiai godi
> Fe gwympai lwyr ei thin,
> A phetai'n medru chwerthin
> Byddai wedi, siŵr i chi.
>
> Daeth fet o Aberteifi
> M'lân rhywbryd y prynhawn
> Yr hwn a wthiodd iddi nodwydd
> Dair modfedd llawn.
>
> Fe gyffrôdd rhywfaint wedyn
> Yn ôl a glywais i,

Ond 'n ôl yr aeth i eistedd
Fel 'tae ar y WC.

Fe holwyd y perchennog
Gan y milfeddyg syn,
Pa bethau a fwytasai
Yn y dyddiau olaf hyn.

'O, tipyn o flawd barlys
Sbarion y cawl a'r uwd,
O ie, a dou fwcedaid
O waelodion yr hôm briw.'

A dyna'n hollol syml
Oedd y cyfan oedd o'i le,
Yr hwch o dan ddylanwad
Y stwff na sy'n troi TJ.

Ac mae sôn o hyd yn Ferwig
Nid am 'lamb', a stêc a bîff,
Ond am facwn bendigedig
Yr hwch o Ffynnon Cíff.

Dwi'n falch y'ch chi'n cymeradwyo hwnna, ma fe'n dangos rhywfaint o chwaeth ar eich rhan chi!

Nawr te, fe'i tynnwn ni at 'i gilydd nawr mond i fi ga'l gwared â'r hen gân ola 'ma, a hon yw'r fwya llipa o'r cyfan am wn i.

O mae'r wraig yn poeni'n gynllwn
Fod ei dillad mas o ffasiwn,
Bod ar ôl y ffasiwn yma
Yw bod o flaen y ffasiwn nesa. (*doethineb!*)

Y mae'r dorth yn dal i godi
Ceiniog ddoe a cheiniog fory,
Mae 'na rywbeth reit i wala
Fwy na burum yn y bara.

Yr achlysur o'dd treial egluro o lle mae enw Lledrod wedi dod. Ond sda hi ddim byd i 'neud â Lledrod, ond o'dd hi'n hen gân ...

Roedd 'na ddyn yn gweithio sgidie
Yn Lledrod slawer dy'.
Ac yn gweithio lleder hefyd
Yn ôl yr hanes glywais i.

I bawb yn ôl ei angen
Oedd moto hwn erioed,
Gwnâi esgid i siwtio'ch poced
'Ta beth am siwtio'ch troed.

Er enghraifft nawr i ffarmwr
Oedd yn weddol drwm 'i drâd,
Fe weithiai bâr o sgidie
Oes oesol eu parhâd.

Ac i rhyw grwtyn ifanc
Oedd yn arfer caru 'mhell,
Roedd sgidie dala adar
Yn siwtio hwnnw'n well.

Fe weithiai esgid ysgafn
A gwadnau bychain sionc
A slashen fawr o dafod
I'r wraig a hoffai glonc.

A sgidiau mwy sybsdanshial
Oedd yn gwichian llofft a llawr
Ar gyfer y pen blaenor
Pan gerddai i'r sêt fawr.

Esgidiau i'r pregethwr
A weithiai ef yn syth
Fel bo'i drâd mor sych â'i bregeth
Heb eisiau mynd am byth.

Gwnâi'r lleder o groen mochyn,
Croen gwartheg neu loi bach,
A sgidie croen myn gafar
Ar gyfer rhai o'r crach.

Ond fe aeth ffermwyr Lledrod
I ffidio'u stoc mor hael

Nes aeth y da mor raenus
Fel nad oedd croen i'w gael.

Roedd y gwartheg oll fel rowlers
A'r lloi mor dew â mwd,
Pob eidion, oen a dafad
Yn gig hyd flaen 'i gwt.

Ac yntau wedi addo
I Mrs Heiphen-Hall
Gneud bach o shŵs bach ysgol
I'w gwisgo i'r Hunt Ball.

Yr oedd efe mewn picil
Fe gytunwch yn ddiau
Y da'n rhy dew i'w blingo
A'r Ball yn agosáu.

Fe dreiodd wneud rhai papur,
Beth arall fedre fe wneud,
O hen rifynnau'r *Faner*,
Y *Tyst* a'r *Tivyside*.

Ond nid oedd rheiny wedyn
Yn rhywbeth yn rhy wych
O'n nhw braidd yn hawdd i'w treulio
O'dd i'm point iddi fod sych.

Ac yna gwelodd sbaniel
Ar ochr y ffordd fawr
A'r bys o Aberystwyth
Wedi dod a'i fwrw lawr.

Fe weithiodd bâr o sgidie
O'r ast oedd wedi bod,
A dyna ichi'r Hush Puppies
A welwyd gynta 'rioed.

A ga'i ddiolch i chi am 'ych gwrandawiad a chydymdeimlo â chi am ryw olwg ar y stwff r'ych chi wedi glywed. Diolch yn fawr iawn.

* * *

Dic [wrth y gynulleidfa]:
Beth yw'r arwydd cynta bod dyn neu wraig wrth gwrs neu ferch, yn mynd i fod ryw fath o brydydd?

Ateb o'r llawr: Odli

Dic:
Beth fyddech chi'n gweud yw'r arwydd cynta fod dyn yn mynd i fod yn artist neu dynnwr llunie? Fyddech chi'n cytuno os tynnith e lun cwpan a soser bo'ch chi'n medru nabod mai cwpan a soser y'n nhw? Achos os yw llun 'i ddychymyg 'dag e yn 'i feddwl, yna mae'n rhaid iddo fod yn gallu trosglwyddo'r llun 'na i bapur fel bo'ch chi'n medru nabod mai'r llun 'na yw e, 'run fath â chwpan a soser. Ond yr hyn sy'n yn synnu y'ch chi'n gweld yw, fyddwn i'n meddwl mai dyna y ddau begwn ondefe, bod rhywun sy'n prydyddu yn medru odli, a bod rhywun sy'n tynnu llun yn medru tynnu llun fel bo' fi'n nabod e. Ac eto i gyd wrth i chi ddringo mewn celfyddyd, ymbellhau oddi wrth hynna y'ch chi'n neud. Y rheswm mod i'n gofyn, achos wi'n digwydd credu medrwch chi ddysgu unrhyw un i gynganeddu – o fewn rheswm a diddordeb a gallu geiriol ac yn y blaen – ond yr un peth na fedra i ddim na fedrith neb dwi'm yn meddwl yw dysgu dyn i fydryddu. Gwyliwch chi bo fi'n dweud 'tho chi 'bod bachan yn byw'n Abertawe' dy **dy**-dy dy-**dy** dy dy **dy**-dy. A newid hwnna ac yn dweud 'Roedd dyn yn trigo'n Abertawe'. Wel dyw rheina ddim yn rhedeg 'run fath. Os nad ydi fe'n gallu gweld hwnna, allwch chi neud dim ag e. A wi'n credu bod hwnna'n gynhenid. Dwi'm yn credu bod y pethe arall – cynganeddu ac yn y blaen – yn gynhenid, ond dwi'n siŵr bod hwnna'n gynhenid, y synnwyr rhythm 'na, achos nid yn unig mae'n nhw'n ffaelu gweld bod dim byd o'i le, ond dydyn nhw ddim yn gwybod sut i gywiro fe i ga'l e 'run peth â'r llall. Chi'n deall?

Merêd [o'r gynulleidfa]:
Dwi'n siŵr y baswn i'n cytuno â chi efo'r tynnu lluniau 'na Dic … dwi 'di gweld lluniau gan blant – fy wyrion rŵan – ac yn wir wythnos dwytha yn digwydd bod, un o blant Dylan, sef Casi, ag

o'dd hi 'di gwneud rhyw lun, ag o'n 'i'n gorfod gofyn 'Be di hwn?' 'te. Ag o'dd o mwya diddorol i mi glywed hi'n deud be o'dd y petha' ma. O'dd na rwbath, rhyw goeden, ond iesgob annwyl! Dwi ddim mor siŵr y baswn i'n cytuno efo arlunio, ynte. Odli, ma hwnna yn rwbath sydd yn ddwfn iawn ynon ni yntydi, efo barddoni. Ac mae odli yn drwm iawn mewn plant achos un o'r gemau ma' rhywun yn cael hwyl efo plentyn, ydi trio dysgu plentyn i odli. Fedri di'm esbonio be wyt ti isio, ond ma nhw'n 'i ga'l o yn fuan iawn.

Dic:

Onid efelychu yw hwnna? Efelychu sain yw odl, wrth gwrs. Wel 'sen i'n meddwl chi'n gweld mai efelychu siâp yw tynnu llun hefyd.

Merêd:

Wel, diawch dio'm yn digwydd yn aml iawn efo plant – mynydd neu goeden neu dŷ, ia, o'dd rhywun yn gweld rhyw fath o siâp. Ond dwi'm mor siŵr a ydi greddf arlunio mor atgynhyrchiol â hyn'na.

Dic:

Wi'n fodlon derbyn e, chi'n gwybod. Rhyfeddu ynglŷn â'r peth ydw i. Achos mae'r un peth wedyn â cherddoriaeth – fasen i'n meddwl 'yn hunan mai efelychu mae dyn wrth greu cerddoriaeth i ddechrau ontefe, cyn bod e'n ffeindio'i draed ei hunan. Efelychu sain rhywbeth arall.

Merêd:

Wel, ia. Ond di hynna ddim yn golygu bod rhywun yn ceisio atgynhyrchu be mae'n glywed. A dio'm yn golygu bod person yn ceisio atgynhyrchu be mae'n weld.

Dic:

Wel nawr te, faswn i'n awr yn meddwl 'mod i'n gwybod y gwahaniaeth nawr rhwng prydyddiaeth a barddoniaeth. Dwi'n credu eich bod wedi rhoi eich bys ar ei phen. Hynny yw, os ydw i yn trio atgynhyrchu yn gywir beth rydw i'n deimlo, yna prydydd yw hwnna. Ond os ydw i yn atgynhyrchu rhywbeth fydd yn cynhyrchu rhywbeth mwy ynoch chi, yna ma' fe'n mynd yn bellach dipyn bach na prydyddiaeth. Iawn, mae hwnna'n gystal diffiniad â glywed i erioed.

Merêd:
Dwi'n credu bod y busnes 'ma o rhythm yn rwbath sylfaenol iawn, iawn. Ma hwnna'n mewn cerddoriaeth, hefo brawddeg gerddorol. Mae pobol sy'n medru canu yn lân yn bobl i mi sydd yn medru brawddegu. Wel rŵan, does dim posib dysgu hwnna.

Dic:
Nagoes?

Merêd:
O, os nad ydio ynoch, os nad ydio yno yn y person, sy'n gwybod sut i roi ffurf i'r ...

Dic:
... llinell gerddorol.

Merêd:
Ia. A dwi'n meddwl bod y peth yna yn ddwfn ofnadwy mewn bardd, fel roeddat ti'n ei ddeud. Nid mater o gyfrif curiadau 'dio chwaith, ma hwnna'n beth rhy beiriannol o lawer. Mae 'na rywbeth yn llif y sain rywsut, a ma hwnna yn ddwfn iawn mewn person.

Robin Gwyndaf:
Mae hynna'n atgoffa fi, sylw Merêd rŵan, yn rhediad y sain, ynde, dwi wedi cael y fraint fawr o wrando ar bobl yn siarad, am flynyddoedd erbyn hyn. Fyddai'n cofio fi'n recordio Mrs Ann Mainwaring, o'dd hi'n ddeg a phedwar ugain mlwydd oed, a dwi wedi recordio pobl debyg iddi, ond hi'n arbennig, a mi fyddai'n meddwl, chi'n gwybod, busnes yr odl ma efo dawns, cyn i bobl ddechra siarad, dysgu siarad, dysgu iaith, hynny ydi, dawns o'dd gynta ynte – sŵn traed, ac mae'r odl yna, sôn am bobl anllythrennog, roedd yr hen Isaac Jones yng Ngherrigydrudion ...

41

a sa'm llawer ers pan mae o 'di gladdu. O'dd o'n gofyn i mi: 'Un o ble di'r wraig?' Fi'n deud, 'Wel o Lyn Ceiriog'. 'O ia, "Yn Glyn Ceiriog, mae tarw cynddeiriog", medda fo. Ag o'dd o'n gwneud rhyw gwpledi bach fel'na. Rŵan te, mor wahanol oedd 'i brydyddiaeth, neu gocoswaith o, i'r peth o'dd Merêd yn sôn amdano rŵan. Ann Mainwaring. O'dd hi'n dod adre o'r Diwygiad yn eneth rhyw saith mlwydd oed, dwi'm yn cofio beth o'i hoed hi, ac o'dd hi'n dod adre, a 'do'i Mam ddim wedi mynd y noson honno. Ac oedd hi mor hapus, medde hi, 'Mam', medde hi, 'o'n i'n clywed y coed yn canu'. A ma'r geirie 'na wedi ... wedi cyffwrdd. 'Clywed y coed yn canu'. Doedd hi ddim yn meddwl siarad mewn barddoniaeth, ond barddoniaeth ydi hynna'n de? Yn y rhythm yma, ac wedi codi o'r galon felly ynde, a'r gwahaniaeth rhwng y prydydd a'r cocosfardd a rhywbeth sydd chydig bach yn ddyfnach.

Dic:
Clywed y coed yn canu. Dyw o'dd Trystan yn dweud wrtho'i pwy ddiwrnod bod y coed yn siarad â'i gilydd.

Robin Gwyndaf:
A ma'r Salmydd wedi dweud yndi, beth yw'r adnod ...?

Merêd:
Coed y maes yn ...
Wel, gyda llaw, ddylwn i fod wedi dweud, 'dan ni wedi mwynhau yn hunain. Dyna'r gwahaniaeth rhwng gwreiddioldeb ac efelychu! Hyd yn oed mewn digrifwch.

2. 'Y Cythraul Cystadlu' - T. Llew Jones

Mae'n dda gyda fi ga'l bod 'ma. Ro'n i wedi dweud wrth y llywydd, 'Peidiwch â gweud gormod o gelwydde amdana i.' Ac yn wir ddwedodd e ddim un! Diolch yn fawr i chi.

Dwi'm yn siŵr beth yw'r testun mae e wedi'i roi lawr fan hyn, beth yw e nawr y 'Y Cythraul Cystadlu'. Wel, fydda i ddim yn cadw'n hollol gyfyng i'r teitl yna, byddai'n crwydro tipyn, ond fe garen i ddweud wrthoch chi ar y dechrau fel hyn, fy mod i wedi cael fy nghodi ym myd yr eisteddfod, a gweud y gwir, mae'r eisteddfode wedi bod yn lles mawr i mi. Ble bydde ennill cader yn gydradd ag ennill gradd, fe allech chi ddweud fy mod i'n un o raddedigion yr eisteddfod.

Fe ddechreuodd yr holl beth pan o'n i'n blentyn bach, pan oedd yr hen eisteddfode bach, bach slawer dydd – o'n ni'n eu galw nhw'n *Penny Readings*. Fe fues i'n edrych yn y geiriadur cyn dod lan, o'dd y gair *Penny Reading* ddim yn 'y ngeiriadur i. Mae e'n un mawr iawn, ond o'dd e ddim 'na. *Penny Readings* o'n ni'n eu galw nhw, a dwi'n credu eich boch chi'n y gogledd 'ma yn eu galw nhw yn 'cyrdde llenyddol' neu 'gyfarfodydd llenyddol'. Ond *Penny Readings* o'n ni'n galw rheina, ac mewn blynyddoedd wedyn (maen nhw wedi marw nawr, bron i gyd), fe atgyfodon nhw'r *Penny Readings* yn Llannarth, ond erbyn hynny o'dd chwyddiant wedi bod yn gwneud 'i waith, ac o'n nhw'n ei alw fe'n *Cwrdd Swllt*!

Dwi'n mynd i sôn am yr hen gyrdde bach 'na. Mae rhai o' chi

falle – er nad oes neb ohonoch chi mor hen â fi – ond falle bod rhai o' chi'n cofio amdanyn nhw yn ca'l 'u cynnal. Ro'n nhw'n cael eu cynnal dan nawdd y capeli a'r eglwysi, ac yn y festri neu yn yr ysgol leol fynychaf. Wel nawr, yn fan'na y dechreues i fy ngyrfa. Ag o'dd pawb yn y cyrdde bach 'na yn gorfod gwneud rhywbeth – dyna ddylanwad y capel yn cyfnod yna. Os oedd y diacon – Enoc Jones, Llwyn Derw oedd prif ddiacon ein capel ni – ac os bydde Enoc Jones yn gweud 'Ma rhaid i ti gymryd rhan yn y *Penny Reading*,' o'ch chi'n ei neud e. Os oeddech chi'n gallu canu, oeddech mynd lan i ganu, a dwi'n cofio hen gyfaill i mi – o'dd llais canu da gydag e – deuddeg oed, tair ar ddeg oed, ond roedd e'n nerfus. Ond roedd e'n gorfod mynd lan i ganu. A fi'n cofio amdano fe fel tase hi'n ddoe, yn canu ar y llwyfan, canu ei chalon 'i, a'r dagrau'n powlio lawr 'i foche fe. Dyna beth oedd y cyrdde bach 'na. Pawb yn gwneud rhywbeth. Os oedd llais canu 'dach chi, o'ch chi'n canu, o'ch chi'n adrodd, a we'dd lot o bethe eraill y gallech chi gymryd rhan ynddyn nhw hefyd – sain wrth y glust a phethe, a wedyn darn heb atalnodau. Ond os 'sech chi'n ffaelu – gwneud chwe chwestiwn ar y pryd. Os oeddech chi'n ffaelu gwneud dim byd – ac roedd rhai o'r rheiny 'dan ni – roedd 'na un gystadleuaeth ar ôl i chi, a honno oedd beth o'n ni'n galw yn 'gweud wit' – gweud stori ddoniol. A dyna beth o'dd y rhai oedd yn methu gwneud llawer o ddim byd arall yn ei wneud, o'dd mynd lan a 'gweud wit'. Wi'n meddwl yn amal iawn y newid sy' wedi bod yn chwaeth pobl. Wyddech chi, wi'n gwrando ar rai o'r 'comedians' 'ma ar y teledu ac ar y radio – maen nhw'n hala fi i wrido pan fydd 'mond fi'n hunan yn y stafell. Wir i chi, maen nhw'n gweud pethe mawr – wel, fentrech chi ddim.

Dyma'r math o jôc o'dd yn mynd yn y *Penny Reading* slawer dydd. Fedrwch chi chwerthin cofiwch!

Hen wraig fach yn rhedeg mewn i siop yr ironmonger yn Llandysul a'i hanal yn ei gwddwg ac yn gweud wrth y siopwr, 'Dewch glou â trap llygod bach i fi, ma isio dala bys arna i.'

Wel, wyddoch chi wi 'di adrodd y stori 'na mewn llawer man a neb wedi gwenu chi'n gwybod! Diolch i chi. Falle mai trio 'mhlesio i o'ch chi'n neud wrth chwerthin fel'na nawr. Ond dyna'r math o beth ... Wi'n cofio fel tase hi'n ddoe, un ffrind i fi – mwy mentrus na fi – yn mynd lan a gweud y stori 'ma. Chwarddodd neb. A dyma'r stori i chi:

Roedd gwas ffarm yn caru merch o sir Aberteifi, ac yn awyddus iawn i'w chael yn wraig iddo. Ond gwrthod wnaeth hi pan ofynnodd iddi.

'Pam 'te?' medde fe.

'Wel, gwas ffarm y'ch chi,' oedd yr ateb. 'D'ych chi ddim yn ennill digon i'n cadw ni mewn bwyd.'

'Ond mae rhywbeth siŵr o ddod,' medde'r bachgen.

'Ie, ond fydd eisie bwyd ar hwnnw wedyn,' atebodd hithau.

Ond yr oedd 'na bethe da yn dod allan o'r hen gyfarfodydd bach 'na. Yn y fan'na y gwnes i fy mhrentisiaeth a gweud y gwir. Meddyliwch chi, mae hen bentre bach gyda ni i lawr yng ngodre'r sir yma ac enw rhyfedd arno fe – Plwmp. All rhywun wneud brawddeg o'r gair yna? Chi 'di'i chlywed hi falle – 'Pechais lawer, wedi meddwl peidio.' 'Na dda, ondefe? A wi'n cofio wedyn mewn rhyw *Penny Reading* bach o'dd y gair 'dafad' yn air i wneud brawddeg ohono fe, a rhywun wedi gweud 'Diolch am fami a dadi.' A'r llall wedyn, a wi'n credu mai hwnnw enillodd, 'Diolch am fwyd a dillad.' Pethe bach pert iawn yn dod mas o fan'na, caneuon bach, brawddegau, ac yn y blaen fel'na, limrigau – pethe pert yn dod allan. Pawb yn gwneud rhywbeth, ac roedd y 'solo twps' chi'n gwybod, O!

Rwy'n cofio wythnose cyn y cyfarfod y bydde'r gweision ffermydd a'r merched ffermydd yn mynd at rywun o'dd yn medru canu piano, ac yn dysgu rhyw solo i ganu, ac weithie bydde deg ar hugien yn mynd lan i ganu, chi'n gweld. Ar y 'solo twps' 'ma, o'n ni'n galw 'i. A gweud y gwir yn barchus, y solo i'r rhai heb ennill o'r blaen. A we'n i'n cofio rhyw feirniad chi'n gwybod, o'dd ffordd 'da'r beirniad er mwyn cyflymu pethau. Roedd cynifer yn canu chi'n gweld, fyddech chi 'na trwy'r nos. A 'na beth o'dd e'n neud wedyn, ar ôl i'r canwr neu'r gantores ddechre – fe fydde'n gwrando am rhyw funud fach, tap wedyn [*sŵn cnocio*] â phensil. Hynny'n golygu fod e wedi cael digon. A'r hen solo o'n nhw'n ganu'n fynych iawn o'dd 'Merch y Capten'. A rhyw foi, dwi'n cofio, o'dd e wedi mynd lan i ganu, o'dd e wedi bod yn dysgu'n hir chi'n gweld, obeutu pythefnos yn ymarfer y solo 'ma chi'n gwybod, a ma fe'n dechre canu 'Merch y Capten'. A mae'n dweud rhywle fan'na, 'Mae'n boddi, mae'n soddi,' sa' i'n gallu canu. Ma' hwnna'n rhan o'r gân. [*Sŵn cnocio*] A'r beirniad yn dweud, 'Bodded i ddiawl â hi'!

Wel dyna nhw, yr eisteddfode bach yna, y *Penny Readings*, o'dd 'na lawer iawn o ddiwylliant yn perthyn iddyn nhw, ac yn y fan'na y cês i 'yn hyfforddiant cynnar. Saesneg o'dd yr iaith yn yr ysgol fynychaf, ond yn y fan'na ac yn yr ysgol Sul, Cymraeg o'dd hi, a dwi'n falch iawn 'mod i 'di bod yn rhan ohonyn nhw. A wyddoch chi, ar ôl y rhyfel, we'dd yr hen *Benny Readings* wedi mynd. Dwi'm yn credu bod llawer o gwbl wedi ca'l 'u cynnal ar ôl y rhyfel, chi'n gwybod.

Ro'n i wedi priodi erbyn hynny ac yn byw'n Llangrannog – wedi mynd mewn i dylwyth y Cilie –ac ar ôl y rhyfel roedd Alun Cilie a finne – roedd bron pawb – yn trio ca'l pethe 'nôl i fel oedden nhw gynt. Dyna'r syniad o'dd gyda fi beth bynnag. Ac fe ddechreuon ni'r hen *Benny Readings* 'ma 'to – ym Mhontgarreg ac yng Nghapel y Wig, lle ro'dd Alun, a lawr wedyn yng Nghapel y Methodistiaid yn Llangrannog, lle roedden ni'n byw. A o'dd hi wedi mynd yn gystadlu brwd iawn rhyngof i ac e nawr, er bo' ni'n gyfeillion. A wyddech chi, ro'dd un gystadleuaeth o'dd e'n curo bob tro, a honno o'dd y cydadrodd. Roedd gydag e barti o fechgyn, chi'n gweld, a finne â pharti o ferched – merched Llangrannog. A fe o'dd yn mynd â hi bob tro – ond un waith. A wyddech chi 'na beth o'dd y darn gosod oedd, 'Tutancamen'. 'Na beth o' nhw'n ei alw fe slawer dydd, soned gan Crwys. 'Tut-ankh-amen' o'n ni'n galw e slawer dydd. Ond fues i yn yr Aifft amser rhyfel, a ofynnes i ryw hen Arab sut o'dd e'n weud e. A wedodd e rhywbeth tebyg i hyn: Twtancamŵn. Fel'na wedodd e. A weda i 'Twtancamŵn' nawr 'te, i ga'l bod yn y ffasiwn. A wyddech chi beth y noson yma, ddim ond i ddweud y stori wrtho fe, mae'n stori wir, ma' popeth wi'n ddweud heno yn wir gyda llaw! Dyna'r gân gan Crwys chi'n gweld, ac mae'n dechre, 'Yn Nyffryn y Brenhinoedd gwaedd y sydd,' ac wedyn mae'r waedd yn dod nes ymlaen yn y soned, 'Phar-a-oh,' chi'n gweld. Wel, a'th merched Llangrannog lan i adrodd – dwi am roi hwn ar record – a'th merched Llangrannog lan i adrodd, a finne ar lawr nawr a ngwefusau'n mynd fel'na, chi'n gwybod fel rheiny sy'n hyfforddi plant i adrodd, gwefusau'n mynd! A jiw geuson ni dro da arni. O! Ardderchog. Dim un gwall. O'n i'n dechre meddwl, ma' cyfle heno, ond dyma fe'n mynd lan, a'i barti o fechgyn, a o'dd e'n adrodd gyda nhw, a'i fola mas, ag o'dd e wedi penderfynu mai fe o'dd yn neud y waedd, 'Phar-a-oh.' Ew, pan ddechreuon nhw o'n i'n gweud wrthyf fy hunan, 'Ma'i ar ben heno 'to.' Ond pan dda'th e at y waedd fan'na chi'n gweld, fe wedodd, 'Phar –,' a dda'th e ddannedd gosod e lawr! Ma' hwnna'n berffeth wir! A wedodd y beirniad, 'Oni bai am yr anffawd fach 'na, bydde'r parti hyn wedi ennill.' Ond merched Llangrannog a'th â hi y noson honno. Dyna'r math o bethe o'dd yn mynd mlân yn yr hen gyrdde bach 'ma – hwyl a sbort, a chydig iawn o genfigen – wi'n mynd i sôn yn nes ymlaen am genfigen – wel, ychydig iawn o'dd i ga'l yn y cyrdde bach 'na.

Ar ôl rhyw raddio fel'na yn y cyrdde bach 'ma, troi llyged wedyn at y steddfode mwy, lle'r oeddech chi'n gallu cael rhyw bum swllt o wobr am delyneg neu hanner coron am englyn, a dyna'r cyfnod pan o'n i'n teithio ymhell, a dyna'r cyfnod pan ddes i i wybod bod 'na dipyn bach mwy o dwyll a rhagrith yn perthyn i'r eisteddfod nag o'dd yn y golwg ar yr wyneb. Ie, ie gawn ni sôn am hwnnw yn nes ymlaen nawr. A wyddech chi – y teithio hwyr 'ma chi'n gwybod, ar gefen beic, neu os nad o'dd beic i ga'l 'da chi, cerdded. Wi'n cofio cerdded saith milltir i Bencader a 'nôl, pedair milltir ar ddeg, i fynd i steddfod. Y teithio 'na o'n i'n neud, chi'n gwybod.

Wi'n cofio Alun Cilie yn dweud stori wrtho i amdano fe – ac ry'n ni'n sôn ambeutu hwyr y nos nawr – amdano fe'n mynd adref o eisteddfod Llandysul. Wi'n credu mai ar nos Calan o'dd hi'n ca'l 'i chynnal, ac roedd eira ar lawr. Ac roedd e'n mynd adre ar ei feic nawr, trwy bentre bach Ffostrasol. Roedd hen fardd yn byw yn

Ffostrasol – fyddai'n sôn rhagor amdano fe wrth fynd ymlaen – Cynfelin Benjamin o'dd 'i enw e. Dyn rhyfedd iawn, ar bob cyfri. Roedd e wedi cwympo mas â'i eglwys, wedi bod yn weinidog yn Pisga, Talgarreg, ac yna roedd e wedi ca'l sac, ac wedi mynd i fyw i fwthyn bach yn Ffostrasol. Ac o'dd Alun yn gweud wrtha i amdano fe – hwyr y nos yn dod adre o steddfod Llandysul – ac fe welodd ole bach yn ffenest y bwthyn gyda'r hen Cynfelin. Ac fel o'n nhw slawer dydd, bwrw'i feic ar ochr y wal, codi'r latsh a gweud 'Helo' a cherdded miwn. A fan'ny o'dd yr hen Cynfelin, medde Alun, yn eistedd wrth rhyw lygedyn o dân a rhyw hen got dros 'i sgwydde fe, a wedodd Alun 'tho i, 'Fe boeres i'r tân,' medde fe, 'a ddiffoddodd o.'

Ac wedodd yr hen Gynfelin wrtho fe, 'Well i chi fynd nawr.'

Wel, nawr, o'n i'n gweud fydden i eisiau sôn rhagor am y dyn 'ma. Roedd e'n ddyn arbennig iawn. Roedd e wedi bod mas yn America ffor'na yn pregethu, ac roedd e'n fardd ac yn feirniad. A dyma'r unig un – dwi'n gwybod bod lot o hen dwyll a phethe wedi bod yn mynd mlân yn yr eisteddfod erioed – ond dyma'r unig un y clywes i amdano fe, iddo wobrwyo'i hunan. 'Sim eisie chwerthin, mae'n wir! Hyd yn ddiweddar roedd 'na bobl yn byw ym mhentre Talgarreg, oedd yn yr eisteddfod lle gwobrwyodd e'i hunan. Nawr fel hyn fuodd hi. Yr oedd e'n beirniadu'r adrodd a'r llenyddiaeth ac yn arwain yr eisteddfod, fel ro'n nhw'n neud slawer dydd, ac fe ddaeth cystadleuaeth yr englyn, ac fe ddarllenodd 'i feirniadaeth, ac fe alwodd y ffugenw. A bu distawrwydd, a phawb yn edrych i ga'l gweld pwy o'dd yn mynd i godi. 'Y fi yw e,' wedodd e. Oni bai bod y stori 'na'n wir, 'se'n i ddim wedi'i gweud hi.

A wyddoch chi, gan bo fi'n sôn am y peth, falle dylen i ddweud un stori arall amdano fe, lle cafodd e dipyn bach o ddial ar 'i eglwys, '*Getting his own back*,' ys gweden nhw. Diwedd y Rhyfel Byd Cyntaf, wi'n mynd 'nôl ymhell nawr, roedd ffermwr cefnog wedi cynnig pum swllt yn wobr am y limerig, ac o'dd y limerig yn dechre fel hyn: 'Pan geir yr hen Gaiser i'r ddalfa.' O'ch chi fod i weud wedyn beth o'dd yn mynd i ddigwydd iddo fe, beth o'n nhw'n mynd i neud ag e, ac o lot o' nhw eisie'i gladdu fe yn y domen, ac eisie'i anfon e trwy rhyw beiriant i falu e'n fân, a phethe fel'na. Ond yr hen Gynfelin, 'Gwnewch e'n weinidog yn Pisga!' A dyna'r peth gwaetha o'dd Cynfelin yn feddwl alle ddigwydd iddo fe, oherwydd y cweryl o'dd wedi bod rhyngddo fe â'i eglwys. Wel, dyna fe.

O'n i'n dweud amdano fe'n gwobrwyo'i hunan ondefe, ond roedd y beirdd yn cwympo mas â'i gilydd yn yr hen amser, o peidiwch â siarad. Roedd hi'n bleser darllen y *Journal* a'r *Tivyside*, slawer dydd, oherwydd roedd llythyron gan y beirdd oedd wedi colli, atebion gan y beirniaid, ac yn y blaen fel'na. Wyddech chi, o'dd y peth mwya diddorol. 'Sneb yn ca'l cam heddiw chi'n gwybod. Oedd pawb yn cael cam slawer dydd chi'n gweld, ond y rhai o'dd yn ennill. Mae gyda fi rai enghreifftiau 'ma chi'n gwybod, ac roedd y cweryla mwya ynglŷn â'r englyn. Sai'n gwybod pam oedd hynna'n bod, achos bod e'n rhyw damaid bach mor berffaith, os yw e'n iawn ondefe. Roedden nhw'n cwympo mas obeutu'r englyn yn amal iawn yn yr hen bapurau. A dwi'n dod nawr at 'Cythraul y Cystadlu'. Odw! Roedd Cynfelin Benjamin, y dyn 'ma wi wedi bod yn sôn amdano fe – fe ddylid sgwennu'i hanes e mewn llyfr – o'dd e wedi ennill ar yr englyn mewn eisteddfod go bwysig yn ardal Capel y Wig, hynny yw '*stamping ground*' bois y Cilie. Englyn i'r testun, 'Genwair'. Nawr y'ch chi i gyd yn gwybod mai gwialen bysgota yw genwair. A wi'n mynd i adrodd yr englyn wrtho chi. A wi'n credu mai hwn yw'r englyn salaf wi wedi'i weld erioed. Gwrandewch arno fe am eiliad. Ac fe enillodd yn yr eisteddfod dach chi'n gweld, a wyddoch chi pam o'dd e'n ennill? Roedd llawer iawn o'r beirniaid – o'n nhw'n gwybod dim byd amboutu cynghanedd. We'dd lot ohonyn nhw ddim wedi clywed sôn am y gair. Fel'na o'dd hi slawer dydd, os o'ch chi'n weinidog – o'ch chi'n ca'l bod yn feirniad llên ac adrodd. O'dd ddim ots a o'ch chi'n gwybod rhywbeth ai peidio! Wyddoch chi, cyn bo fi'n mynd mlân at hwnna'n awr, o'dd 'yn hen ysgolfeistr i'n gweud stori wrtha i, am rhyw fardd gwlad, John Jones o'dd 'i enw fe – Ysgol Saron, Llangeler, lle bues i yn blentyn – ag o'dd John Jones wedi dysgu'r gynghanedd. Roedd e wedi gwneud un englyn, un 'nath e'n ystod 'i fywyd. Ond do'dd dim ots, o'dd e'n gwybod oboutu'r gynghanedd, a dyma rhyw fardd gwlad yn dod ato fe rhyw ddiwrnod. Cnocodd e ar ddrws yr ysgol, a John Jones yn mynd mâs, 'Bore da, bore da,' wedodd e. Wedodd y boi 'ma, 'Wi wedi 'neud englyn,' 'Fachgen,' wedodd Jones, 'gadewch i fi ga'l 'i weld e.' Dyma fe mâs o'i boced a John yn edrych arno fe, 'Fachgen,' wedodd e, 'ble ma'r gynghanedd?' 'Beth yw hwnnw?'

Dyna'r cyflwr o'dd ar bethe yn y cyfnod yna. O'dd hen feirniad gyda ni wedyn, Ifan Davies Llanfair Orllwyn, fydda i'n sôn llawer rhagor amdano fe yn nes ymlaen, offeiriad o'dd e, ac ro'dd e'n arweinydd steddfod eneiniedig, ond doedd e'n deall dim obeutu'r gynghanedd na dim byd chi'n gweld, ag o'dd e'n beirniadu yn eisteddfod Pontgarreg ar bwys ni fan'co. Ag o'dd Sioronwy, Esgair Wen, un o fechgyn y Cilie, o'dd e'n awdurdod ar gynghanedd ondefe, wedi hala englyn miwn, a dyma'r feirniadaeth mae'n debyg. 'Y mae'r englyn hwn,' medde Ifan Davies, Llanfair Orllwyn, 'y mae'r englyn hwn fel y byd cyn y creu, yn afluniaidd a gwag.' A mynd mlân wedyn i wobrwyo englyn hollol wallus. Dyna sut oedd pethe yn y dyddiau gynt.

Wel nawr, i ddod 'nôl at yr englyn 'ma i'r 'Genwair', gan Cynfelin Benjamin. Wi am ei ddarllen e i chi:

> Hir ffon lân ac ar ei phen linyn – bach
>   Bychan ac abwydyn,
>   Os cydia y pysgodyn
>   A dal daw i law y dyn.

Wel, dwi'm yn credu y gallwch chi fynd lawer yn is na hwnna. Ond fe wobrwywyd e, a 'na pwy dda'th i ddarlithio i Capel y Wig yn yr un wythnos ond Wil Ifan – y bardd Wil Ifan – ac ro'dd Wil Ifan yn dynnwr coes ofnadw chi'n gwybod, ac yn y ddarlith 'ma, fe ddwedodd fod e'n canmol yr englyn o'dd gan Cynfelin Benjamin. Wel, fe ... a'th bois y Cilie off 'u penne chi'n gwybod. A dyma lythyr yn mynd i'r *Tivyside*, a dyma fe i chi, ma copi ohono fe 'da fi.

Synnem fod Wil Ifan mewn darlith wedi canmol yr englyn isod i'r enwair, a'i ystyried yn batrwm. Dealled y darllenydd mai gwialen bysgota yw genwair, ond cawn agoriad yr englyn yn ei galw yn 'hir ffon lân'! Staff, pastwn, ffon fagl neu ffon ysgol, y mae pob ffon yn hollol anystwyth onid yw? Ai un felly yw gwialen bysgota? Na, choelia i fawr. Geilw hi hefyd yn hirffon, ffon hir wrth gwrs ddylai fod. Chlywais i neb erioed yn galw mawr geffyl ar geffyl mawr ...

Ag yn mynd mlân ffor'na wedyn chi'n gwybod, ac am y drydedd linell, dwed:

'Os cydia y pysgodyn', gallwn feddwl mai'r pysgodyn sydd yma yn hela. Chlywais i erioed neb yn dweud bod pysgodyn wedi *dal* mwydyn. Peth arall, nid ar ben y wialen y mae'r llinyn, ond drosti i gyd, o'r dirwynydd hyd y pen a thu hwnt.

A medde fe ar y diwedd:

Gwelais feddargraff yn rhywle yn debyg i'r erthyl hwn o englyn, lle dygwyd popeth amherthnasol i mewn er mwyn ei gael i ben.

A dyma'r pennill:

Fan yma y claddwyd ein hannwyl Miss Lloyd
  Fu farw o henaint yn ugain oed,
Miss Jones oedd ei henw, y fi na'th y Lloyd
  Er mwyn cael rhywbeth i odli ag oed.

Wel, dyna'r math o bethe diddorol o'dd i'w cael yn y papur slawer dydd. Godes i 'na allan o'r *Celt*, hen bapur, wi'n credu mai'n Abertawe o'dd e'n cael ei gyhoeddi, ac roedd rhyw hen feirniad o'r enw Ap Ionawr o dan y lach y tro hynny. Roedd Ap Ionawr wedi rhoi beirniadaeth hallt iawn – cystadleuaeth y gadair o'dd hi – ar rhyw fardd o'dd yn galw'i hunan yn 'Fardd y Clwydi'. Ac roedd Ap Ionawr wedi'i dynnu fe'n bishis a gweud pethe cas amdano fe, ac yn wir pan ga'th y bardd ei bethe'n ôl oddi wrth yr ysgrifennydd, ro'dd lot o'i benillion e'n eisie! A dyma fe'n ysgrifennu i'r papur i gwyno. O ie, un peth arall o'dd Ap Ionawr wedi'i neud hefyd, o'dd e wedi beirniadu'i ffugenw fe, 'Bardd y Clwydi'. O'dd e wedi beirniadu hwnna. Doedd gydag e ddim busnes i feirniadu hwnnw wrth gwrs, ond o'dd e 'di neud e. Wel nawr te, fe ysgrifennodd 'Bardd y Clwydi' lythyr ffyrnig i'r Celt, a dyma ateb Ap Ionawr:

Nid myfi, 'Bardd y Clwydi', sydd yn gyfrifol am fod un o'ch penillion ar goll, ond dywedaf hyn, pe buasent ar goll i gyd, (*Ie, chi'n gweld hi'n dod!*) ni buasai barddoniaeth Cymru fawr tlotach.

A medde fe wedyn ynglŷn â'r ffugenw:

... am roddi awgrym i chi yr oeddwn, i ddefnyddio ffugenw â thipyn o raen llenyddol arno. Ond dyna, beth yw eich ffugenw i mi? Y mae 'Bardd y Clwydi' yn arwyddocaol iawn o'ch chwaeth a'ch talent llenyddol, gallwn feddwl, felly defnyddiwch ef. Nis gwn ddim o'ch hanes, ond os mai gwneuthurwr clwydi ydych o ran eich galwedigaeth, cymerwch gyngor yn garedig; (*Chi'n gweld hi'n dod eto!*) ymroddwch at eich gwaith, bydd yn sicr o dalu'n well i chi na cheisio barddoni.

'Na dda'n te? Chi'n gwybod, y cwympo mâs. Ma' beirdd yn bigog iawn, maen nhw'n bigog. Maen nhw'n gollwyr sâl. Wi'n cofio pan draddodes i'r ddarlith yma yn Steddfod Llanbed wi'n credu o'dd hi, yn y Babell Lên yn Steddfod Llanbedr Pont Steffan – y tro cynta 'rioed – a wedes i, 'Mae beirdd yn gollwyr sâl.' A daeth un bardd mlân ata i ar ôl i mi orffen, 'Llew', wedodd e, 'on'd 'yn ni i gyd yn gollwyr sâl?' Wi'n credu bod e'n wir, chi'n gwybod. Roedd Isfoel yn gollwr sâl. Roedd Isfoel yn 'i hen ddyddiau – we'dd e'n dal i gystadlu, chi'n gweld – o'dd 'i gymale fe wedi mynd yn stiff, ond o'dd 'i feddwl mor chwim. O'dd e'n dal i gystadlu, a fi fydde'n mynd â'r clonc eisteddfodol iddo fe o hyd. Mae'n gofyn i fi ambell waith wedyn, 'Pwy enillodd yr englyn yn fan a'r fan?' ac fe fydden i'n gweud rhywun arall, nid fe ontefe, a beth fydde fe'n ddweud,

'Fachgen, pwy oedd y plwpsyn bach 'na o'dd yn beirniadu fan'na'n awr?' Y beirniad o'dd ar fai! Ie, ie. A wedai 'tha chi, y cwympo mâs fuo'n yr Eisteddfod Genedlaethol, chi'n gwybod, rhwng gwedwch, rhwng Dewi Emrys a W. J. Gruffydd, chi'n gweld. Wel oedden nhw'n ofnadwy, hyd at waed! Dyma beth oedd W. J. Gruffydd yn ei weud am gân Dewi Emrys a ddaeth yn ail ym Mhont-y-pŵl, ac yn Saesneg, o'dd e'n sgrifennu' i'r *Western Mail* fel hyn:

I had to read his work and I should not have awarded it a prize at a village 'Cyfarfod Llenyddol'. It was a glue-pot jumble of those dreadful cliches which have disgraced eisteddfodic verse in the past, and which inspired Ceiriog in one of his happier moods to invent a Sir Meyrick Grynswth poetry machine.

Wel, meddyliwch am weud peth fel'na am fardd, a hwnnw'n fardd cydnabyddedig. Y cwympo mâs mawr. A wedyn, bois y Cilie, o'dd rheina ... O! collwyr gwael o'dd rheina hefyd. Mae llythyr 'da fi fan hyn, oddi wrth John Tydu, a ymfudodd i Ganada yn ddiweddarach, a ma' fe'n beirniadu – Cynfelin sy'n cha'l 'i yn fan hyn 'to. O'dd e'n beirniadu Cynfelin, chi'n gweld, a rhoi tro yn 'i gwt e chi'n gweld.

John Tydu'n gweud fel hyn, 'Yr oedd gennyf englyn i'r 'Dywysen' i mewn yn Eisteddfod Hawen, y beirniad yn dweud bod gwall yn y trydydd llinell, a welwch chi 'run gwall? Na welwch, na'r un bardd goleubwyll arall chwaith. Ond dywedodd y crachfardd hwnnw bod, ond erbyn hyn y mae y cynrhonyn coesgam wedi cael gwybod nad oes.'

Dyna i chi dymer ddrwg! Ac yr oedd yr hen Cynfelin fel'na, coesau joci 'dag e, chi'n gwybod! Coesgam. Ie. Dyna fe, ac yn gweud wedyn ei fod wedi hala llythyr i'r *Journal* – ond ro'dd rheiny wedi gwrthod 'i gyhoeddi fe, ro'dd o mor ofnadwy! A weda i chi beth, ro'dd Isfoel yn ennill y gadair yn yr Eisteddfod honno, wi'n credu. Nage, dim Isfoel, ro'dd Isfoel yn cyfarch y bardd yna – Ehedydd Emlyn yn mynd â'r Gadair, ac Isfoel yn gwneud cwpled ar unwaith:

Aed adref gyda'r dodrefn
Yn dwr o goed ar ei gefn.

'Yn dwr o goed ar ei gefn.' Gartre â'r gader 'dag e. Cynfelin wedyn
o'dd yn cadeirio chi'n gweld, a John Tydu o'dd yn dala'r cledd nawr,
ac fe gynhyrfodd hynny John Tydu o'r newydd.

Eisteddfod Rhisca wedyn, nid enillai 'Botwm Crys', yno wedyn
Cynfelin y 'D dot dot dot l' oedd y pwyswr. 'Cyw arth cwmpasog
gafodd y tlws,' ac yn gweud wedyn wrth weld cadeirio'r bardd 'ma,
chi'n gweld. 'O fel yr hoffwn gydio yn y cleddyf glas hwnnw, a'i
frathu ...' A mae'n defnyddio gair wedyn, dwi'm wedi glywed e
erioed, o'dd e ddim yn un geiriadur, a wi wedi rhyw dybio bod e
wedi ffaelu cael gair o'dd yn ddigon digofus a bod e wedi gw'ithio
un. A weda i wrthoch chi, fel hyn mae'n gweud, 'O fel yr hoffwn
gydio yn y cleddyf glas hwnnw, a'i frathu, y sawdlgigagl!' Wi'n
credu bod e wedi 'neud hwnna, achos bod dim un gair arall yn
addas yn yr iaith. Ie wir i chi. Nid yn unig hynna, y 'sawdlgigagl
groenfaw moel ac afrywiog'. Wel, dyna fe, dyna rai o'r pethe o'ch
chi'n gallu darllen amdanyn nhw yn y papurau ac yn y
cylchgronau yn yr hen amser.

Ges i dipyn o gam! [*chwerthin*] Ie, 'soch chi'n credu, mae'n
eitha gwir, chi'n gweld. O'n i 'di dyrchafu o'r *Penny Readings* bach
'ma lan i'r eisteddfode mwy, ac yn wir, o'n i wedi ennill cadair
Talaith Gwent. 'Na'r gadair gyntaf i mi ennill – Crwys yn
beirniadu. Es i lawr i'r steddfod 'na, ac roedd hi'n ca'l 'i chynnal yn
Pontllan-fraith. Roedd yr hen eisteddfode taleithiol slawer dydd,
o'n nhw'n steddfode enwog, ac yn bwysig – Talaith Gwent, Talaith
Powys, roedd Eisteddfod Meirion a Môn, ac yn y blaen. Nawr
ro'dd hon wedi mynd lawr, ag ro'dd na rywrai wedi treio'i chodi hi
lan – Cadair Talaith Gwent – ymhen blynyddoedd nawr, chi'n
gweld. A fi enillodd y gadair. Es i lawr fan'na i 'ôl y gadair, a
wyddoch chi, 'mond mymryn bach o'i chefen hi weles hi, oedden
nhw'n gweud bod y saer o'dd yn gneud hi, ac un o'r seiri coed
gorau yng Nghymru – Rollins, Castell-nedd, Glyn-nedd yn cerfio
rhai o'r cadeiriau perta sy'n bod. Ag o'n nhw'n gweud bod e wedi
dioddef oddi wrth afiechyd a bod e wedi ffaelu gorffen y gadair

ynte, o'n i'n châl hi wedyn, o'n i'n credu bydden i. Ond y tro hwnnw, lawr yn yr eisteddfod, we'dd y bobl oedd yn rhedeg y steddfod ddim yn gwybod llawer o ddim byd, chi'n gweld, oboutu seremoni'r cadeirio a phethe. A o'dd Crwys fan'na, chi'n gweld, o hwnna'n dderyn. O! na dderyn. O'n i'n siarad ag e wedyn, ag o'dd e'n gweud 'tha i bod e wedi siarad â'r pwyllgor nawr, wedi gofyn iddyn nhw, 'Odych chi'n mynd i ganu Cân y Cadeirio?' Doedd neb yno yn gwybod dim oboutu'r peth. Ag o'n nhw'n awr yn dadle ymysg 'i gilydd, beth o'n nhw'n mynd i ganu ondefe – o'dd yn rhaid ca'l canu! Os o'dd ei fod, o'dd e i fod. A we'dd rhywun wedi awgrymu bod nhw'n canu 'For he's a jolly good fellow'! [*chwerthin*] Crwys oedd yn dweud 'tha i. Ag o'dd e'n dweud bod rhyw Scotsman, o'dd e'n ddyn pwysig iawn ffor'na yn y pwll glo, ac roedd hwnnw 'mond isie canu 'Scots Wehey'! Wel dwi'm yn gwybod a ganwn nhw rywbeth ai peidio, dwi'm yn cofio 'na. Ond Cadair Talaith Gwent, a dyna un lle lices i ga'l, fan'na. Ches i mo'r gadair 'na, chi'n gweld. Ac yn ddiweddar nawr, ma' nhw 'di bod yn sôn am atgyfodi Steddfod Talaith Gwent. Wi'n cadw'n dawel [*chwerthin*] oherwydd os yw hi'n atgyfodi fyddai'n mynd i hawlio'r gadair, oherwydd mae arnyn nhw i fi gadair ers blynyddoedd.

Ond o'n i'n sôn oboutu'r cam ges i wrth gystadlu yn y Steddfod Genedlaethol. Yn 1951 wi'n credu o'dd hi, mi anfones i englyn mewn i'r Steddfod Genedlaethol – y tro cynta i mi gystadlu. A'r testun oedd 'Ceiliog y Gwynt', a wyddech chi, es i ddim i'r eisteddfod, o'n i'n digwydd eistedd gartre gyda'r wraig yn Llangrannog yn eistedd wrth y tân yn gwrando ar y newyddion, ac medde'r cyhoeddwr, 'Ac yn awr fe awn ni drosodd i'r Babell Lên i glywed canlyniadau'r dydd'. A'r peth cynta dda'th mâs, 'Enillydd ar yr englyn "Y Ceiliog Gwynt", T. Llew Jones, Llangrannog'. A dyma fi'n neidio ar fy nhraed a rhoi dawns fach – o'n i'n gallu dawnsio mwy pryd 'ny na rwy nawr. 'Na falchder! Y fi – hen foi bach y *Penny Readings* – wedi mynd lan i'r top obeutu bod, chi'n gweld, ac wedi ennill ar yr englyn. Ond wyddech chi, cyn pen pythefnos, fydde'n dda 'da fi pe bydden i ddim wedi sgrifennu'r englyn o gwbwl, oherwydd fe ddechreuodd y beirniaid ymosod arno, a gweud pethe cas amdano. Nawr y'ch chi'n gwybod yr englyn

55

ydych chi i'r Ceiliog y Gwynt? Rhag ofan bo' un neu ddau ohonoch chi ddim yn gofio fe, ddweda i o wrthoch chi. Rhag ofan ontefe! Gwenallt yn beirniadu a thri chant wyth deg saith o englynion i fewn – rhyw saith deg sy' mewn y dyddie hyn.

> Hen wyliwr fry mewn helynt – yn tindroi

(O'n i'n falch o'r gair yna, oherwydd 'i ben ôl e sy'n mynd.)

> – yn tindroi
> Tan drawiad y corwynt,
> Ar heol fawr y trowynt,
> Wele sgwâr polîs y gwynt.

Ow, mae'n englyn da! [*chwerthin*]
    Wel nawr, y pethe cas o'n nhw'n gweud pryd hynny. 'Dy'n nhw'm yn neud e nawr, maen nhw'n fwy cwrtais nawr. Hyd yn oed os bydd englyn sâl iawn yn cael ei wobrwyo, 'sneb yn ymosod yn gas arno fe o gwbwl. Ond y pryd hynny, Ow! – o'n i ddim yn gwybod lle i roi 'mhen. O'dd ofan arna i agor y *Faner* a'r *Cymro*, a rhyw hen foi o Llunden, hwnnw ddwedodd y peth casa amdana i. Mae e wedi marw [*chwerthin*] ond dwi ddim yn siŵr bo fi 'di maddau iddo fe. O'dd e'n beirniadu'r englyn bob blwyddyn, ond dywedodd bethe cas amdano i. Chi'n gwybod yn yr englyn, mae'r gair 'gwynt' yn digwydd yn amal yn yr englyn, oherwydd mai 'ceiliog gwynt' o'dd e ontefe:

> Hen wyliwr fry mewn helynt – yn tindroi
> Tan drawiad y corwynt,
> Ar heol fawr y trowynt,
> Wele sgwâr polîs y gwynt.

A chi'n gwybod beth ddwedodd hwnna yn *Y Cymro*? 'Mae'n amlwg,' medde fe, 'pan oedd y bardd yn cyfansoddi'r englyn hwn, ei fod yn dioddef oddi wrth y gwynt.' [*chwerthin*] Chi'm yn synnu bo' fi heb fadde' iddo fe!
    Wel, nawr, nid dyna cweit ddiwedd yr englyn, nid cweit,

oherwydd mewn rhyw bythefnos neu dair wythnos wedyn, fe a'th y ffôn – o'n i'n byw'n Tŷ'r Ysgol, Coed y Bryn bryd hynny – o'n i newydd ddod gartre a cha'l te, a 'ma'r ffôn yn mynd. A phwy o'dd 'na ond y diweddar Miss Nan Davies o'r BBC, chi'n cofio amdani siŵr o fod, gwraig dalentog iawn.

A dyma hi'n gweud 'tha i, 'Chi'n gwybod yr englyn wnaethoch chi i'r ceiliog gwynt,' ddwedodd hi.

O! 'ma 'i off eto 'te!

'Ie,' wedes i. Chi'n gwybod pan fyddwch chi'n siarad â pobol y BBC, mae'n rhaid i chi fod yn ofalus iawn ffordd chi'n ateb, oherwydd os atebwch chi'n iawn, chi'n gweld, ma'r siec yn dod!

'Ie,' wedes i, a medde hi,

'A o'dd gyda chi rhyw dderyn, rhyw geiliog gwynt arbennig mewn golwg, pan wnaethoch chi'r englyn?'

Saib hir.

'Oedd,' wedes i.

'Ple mae e?' wedodd hi.

'Mae e lawr ar ben tŵr eglwys Llangynllo,' wedes i.

A wedodd hi wedyn, 'Wel, wi'n mynd i hala dyn camera i dynnu'i lun e,' wedodd hi, 'wi'n mynd i ddefnyddio'r englyn 'na mewn rhaglen deledu.' [*chwerthin*]

Wel, mi a'th yr amser heibio 'to chi'n gweld, a wi wedi anghofio'r cwbwl oboutu'r dyn 'ma a dweud y gwir 'tho chi, oboutu'r addewid 'ma a'r dyn i ddod. Ond rhyw ddiwrnod eto pan o'n i'n dod gartre o'r ysgol, hanner awr wedi tri, 'ma cnoc ar y drws. Ac es i i'r drws, a 'na lle o'dd dyn bach byr, a sbectol drwchus 'dag e, a dryches i'n syn arno, o'n i'm 'di gweld e o'r blân, a medde fe wrtho i yn rhyfedd iawn, 'Where's this bird?' [*chwerthin*]

Edryches i'n syn arno fe chi'n gwybod, a groesodd 'y meddwl i falle bod e ar ôl y wraig. [*chwerthin*] Nage! O'dd hi'n ifanc bryd hynny chi'n gwybod, ac ma'r Saeson maen yn gweud 'bird' am ferched, chi'n gwybod.

'What bird?' wedes innau.

A wedodd e wedyn, beth oedd e'n moyn – y ceiliog gwynt.

'O,' wedes i, 'Come with me.' A dyma ni lawr i eglwys Llangynllo – dyw hi ddim yn bell o Tŷ'r Ysgol – a wyddoch chi, roedd hi'n hen ddiwrnod hydrefol, ac yn dywyll tua'r dwyrain ac yn ole' tua'r gorllewin 'na chi'n gweld, a o'dd siliwét yr hen dderyn yn glir lan yna. A dyma fe'n pwyntio, a tynnu ei lun e nawr. chi'n gweld. A medde fe wrtho i, 'What did you say about it in your poem?' A wedes i wrtho fo, 'I compared it', wedes i wrtho fe, 'to a policeman standing on the crossroads of the winds, directing the traffic.' Wel fe agorodd 'i lyged i'r pen, ac fe edrychodd arna i fel 'sen i'n Shakespeare neu Wordsworth. 'What wonderful imagery!' medde fe a rhyw barchedig ofan yn ei lais. Mae e'n wir, popeth wi'n ddeud fan hyn nawr – dyna'i eirie fe. A dyna'r unig ganmoliaeth gafodd fy englyn buddugol i – gan Sais!

Wi am fynd mlân o fan'na nawr os ca i – mae'r stori 'ma sydd 'da fi i adrodd nawr, chi wedi chlywed hi o'r blaen, lot ohonoch chi. A wi am ichi gydymddwyn â fi, oherwydd mae'n siŵr bod rhai 'ma sydd ddim wedi'i chlywed hi. A chi'n gwybod, dwi'n teimlo fel Plato, fel Abram yn dadle gyda Duw ynglŷn â Sodom a Gomora. Os oes dim ond ugain heb glywed y stori, falle does dim un, ond ugain o rai daionus yn Sodom a Gomora, 'Wyt ti'n fodlon achub nhw', meddai Abram, 'Odw.'

Os oes dim ond deg heb glywed y stori, a dyma hi i chi. Ennill y Gadair yw hon nawr. A ma' raid i fi weud y stori, mae'n rhan o 'mhersonoliaeth i erbyn hyn.

Wel, ym 1958, dyma ddyrchafu fy llygaid i'r mynyddoedd, a mentro cystadlu yn yr Eisteddfod Genedlaethol am y Gadair, testun 'Caerllion ar Wysg'. A wyddech chi, mi enilles. Mi enilles. Nawr, pan byddwch chi'n ennill yn y Steddfod Genedlaethol, 'ych chi fod i ga'l llythyr, y Gadair neu'r Goron, ac ar ben y llythyr ma', mewn llythrenne bras mae 'Cwbl Gyfrinachol' 'di ca'l i sgrifennu – oddi wrth Cofiadur yr Orsedd mae'n dod. Ac os cewch chi hwnna, fyddwch chi'n gwybod, *'You've done it'*. Chi wedi neud e. Wel, ches i mo'r llythyr yna chi'n gwybod, amser enilles i'n Glyn Ebwy chi'n gweld. Da'th rhyw ddyn a gwraig, gŵr a gwraig, lawr yr holl ffordd o Lyn Ebwy mewn car i ddweud 'tho i, bo fi 'di ennill. Roedd hwnna'n torri'r rheolau. A wyddoch chi, dyna gyfrinach anodd 'i chadw, boch chi 'di ennill. Yn rhyfedd iawn maen nhw wedi'i chadw 'i'n dda yn y blynyddoedd diwethaf 'ma. Rhywsut maen nhw wedi dysgu doethineb. Ond wyddoch chi, yng Nglyn Ebwy o'dd pobol yn dod 'mlân ata i ar ddydd Mawrth, a gweud,

'Llongyfarchiadau i ti.'

Dyna pryd sgrifennodd Waldo'r llinell, 'Unlucky lion leakage.' [*chwerthin*]

Nawr, da'th y dynion 'ma lawr, fel hyn mae'n dechrau chi'n gweld. Da'th y dynion 'ma lawr nawr ar hyd y briffordd yn ôl-reit ondefe, ond o'dd Coed y Bryn chi'n gweld, oddi ar y briffordd, ondefe, o'dd rhaid chi fynd drwy'r lôn gul ondefe, weddol gul. Ag o'n nhw wedi gofyn i rhywun ffor' o'n nhw'n troi i Goed y Bryn, ac wedi troi'n iawn, ac wedyn'ny fe safon ar bwys iet, gât ffarm, ac yn y fan honno, hen gyfaill i mi yn byw, Ifan Thomas. O'dd e'n gefnogol iawn i fi pan o'n i'n ysgolfeistr yn Coed y Bryn. A fan'no oedd Ifan Thomas, dyn pwyllog, y teip 'ma sy'n cnoi gwelltyn ac yn y blaen, ag o'dd e'n pwyso ar y gât fan'na chi'n gweld, a ma'r dyn 'ma'n stopo ac yn gofyn iddo fe,

'Allwch chi ddweud 'tho i ble ma' T. Llew Jones yn byw?'

Atebodd Ifan ddim ar unwaith, wedodd e 'O ble y'ch chi'n dod?' Mae'n berffaith wir i chi.

'O Lyn Ebwy,' wedodd y twpsyn.

'O,' wedodd e, 'Wel, cerwch i lawr ar hyd yr hewl nawr a trowch i'r whith ac fe welwch chi e, y tŷ brics coch a'r ysgol ar bwys e.'

'Diolch yn fawr.' A bant â nhw.

O'dd Ifan yn gweud 'tho i, o'dd dyn yr hewl yn gwithio lan fan'na wedyn, nes lan. O'dd Ifan yn gweud 'tho i bod e 'di mynd lan at ddyn yr hewl a siarad ag e fel hyn, 'Fachgen, rhyw ddynion o Lyn Ebwy isie gweld Llew Jones.'

'Diawc, falle bod e 'di ennill y Gader i ti.' Mae'n dechre fan'na chi'n gweld! Fan'na.

Wel, dyna fe. Ond nawr te, at y stori fawr. A wi am i chi gofio bod hon yn wir, bob gair – bron bob gair yn wir!

Fe dda'th nawr y diwrnod, amser i fynd lan i'r Steddfod – Alun Cilie a finne ac Edwin fy mrawd. Chi'n nabod Edwin fy mrawd siŵr o fod – mae'n fwy o ddyn na fi o dipyn. Rhai o'n ni'n galw fe 'y dyn sidêt deunaw stôn.' Wi'n credu bod e 'm bach yn llai nawr.

Ond beth bynnag, ni'n tri'n mynd lan ar ddydd Mercher wi'n credu o'dd hi. Ie, gan feddwl y byddai'n hawdd iawn i ga'l lojins, chi'n gweld. Ond o'dd dim. Pan fydd y Steddfod yn mynd i rhyw le newydd fel'na, a lle diwydiannol fel'na, chewch chi'm llawer o bobol i roi lojins i chi, chi'n gweld. O'dd pob gwesty'n llawn, a jiw o'dd hi'n mynd yn bump o'r gloch chi'n gweld a ninnau heb le i aros, ag fe benderfynon ni'n awr bo' ni'n mynd mas o Lyn Ebwy, ac ro'dd stad o dai mas fan'na jest ar bwys y dre. A wi'n credu ma' brics coch o'dd i rheiny hefyd os dwi'n cofio'n iawn. Ag o'n ni 'di penderfynu nawr bod ni'n mynd i bob drws a cnoco i ofyn a o'dd lle da nhw i ni aros. A wyddoch chi, buon ni'n obeutu saith neu wyth o lefydd,

'No.'

'I'm sorry, no.'

Ac yn y diwedd mi ddaethon ni at un tŷ, chi'n gweld, cnoco'r drws, a 'ma na fenyw fach neis yr olwg yn dod i'r golwg fan'ny, a gofynnon ni iddi a o'dd lle da hi i ni aros.

'No, I'm sorry,' wedodd hi.

O'n ni wedi troi i fynd fel'na.

'Wait a minute,' wedodd hi. 'I've got one double bed.'

Wel o'n i'n mynd i ddweud 'tho hi ondefe, am 'i gadw fe ondefe, wa'th beth o'dd un gwely dwbwl i Alun Cilie a finne ac Edwin fy mrawd o'dd yn ddeunaw stôn ondefe! Ond fe feddylies wedyn, ail feddwl chi'n gweld, a wedes i wrthi,

'Yes, we'll have it.'

A gofynnodd i ni ddod mewn wedyn, mewn i'r tŷ i ga'l dishied o de, ag o'dd hi'n bownd o fod wedi gweld golwg fach welw arnon ni chi'n gweld, oherwydd o'dd hi'n serchog iawn, ac yn rhoi'r te 'ma i ni. A wyddech chi tra oedden ni'n yfed te fan'na, maen berffaith wir i chi, fe dda'th rhyw fenywod bach i bipo drw'r ffenest a phethe arnon ni, o'r stad 'ma chi'n gwybod, fel pe bydde rhyw 'bush telegraph'. Ac yn wir, fe ddaeth rhai mewn i'r tŷ i edrych arnon ni'n yfed y'n te fan'ny. A jiw annwyl, diawch, fe wedodd rhyw widw fan'ny – o'n i'm yn gwybod mai gwidw o'dd hi pryd 'ny – fe wedodd rhyw widw fan'ny bod lle 'da hi i Alun Cilie i ga'l! [*chwerthin*] Wel 'na ni'n iawn. Edwin a fi yn y gwely dwbwl, fy mrawd a finne yn y gwely dwbwl, ac Alun gyda'r widw. Ac felly trefnwyd. Wel nawr te, wel nawr, ofynnon ni iddi nawr a alle hi withio 'bach o fwyd i ni ondefe, dalen ni amdano fe. A wedodd 'naethe hi 'fish and chips' inni. A aethon ni mas am wâc fach, ac addo dod nôl mewn hanner awr neu rwbeth i ga'l y swper 'ma. Aethon ni mas, a fel o'dd hi'n digwydd bod ro'dd un gwesty, wi'n credu mai Red Dragon o'dd 'i enw fe, ar y stad 'ma. Alun Cilie'n gweud wedyn – deiacon yn 'yn capel ni cofiwch – yn gweud, 'Nawr te Llew, ma rhaid i chi alw am lasiad bach nawr i'ch brawd a finne i ddathlu'r digwyddiad 'ma.' O'dd 'im iws gwrthod, chi'n gweld. A dyma ni miwn i'r lle ma, a dyma ga'l bobo lased. Dwi'm yn cofio a gaeson ni ddau! Y'ch chi'n meddwl, wel do fe glei, y'ch chi? Ond beth bynnag i chi, gadwch fod pethau wedi mynd yn ddou hanner te.

Ac yna aethon ni'n ôl i'r lle 'ma lle o'n ni fod aros. Wyddech chi o'dd gŵr y fenyw 'ma wedi dod adre o rywle, ac fel o'dd hi'n digwydd bod, o'dd e'n bregethwr cynorthwyol gyda'r Bedyddwyr Saesneg. A fel o'dd e'n digwydd bod, chi'n gweld, o'dd dwy soffa fach, rhyw sgiw fach, un bob ochr i'r tân fan'na. O'dd dim tân yn y grât, ond o'dd y dyn fan'na yn ishte fan'na yn y cornel, Alun Cilie yn ishte' ar bwys e. A fi a 'mrawd yn ishte fan'na wedyn. A wyddech chi fe a'th y siarad nawr, Alun Cilie yn ymffrostio bod e'n ddiacon yn Nghapel y Wîg, a hwn yn ymffrostio 'i fod e'n bregethwr cynorthwyol gyda'r Bedyddwyr Saesneg. Ag o'n nhw'n dod ymlân yn dda iawn gyda'i gilydd.

Ond, fe a'th rhyw awyr, rhyw whiff, rhyw beth allwch chi i alw fe, greda i ma'r simne'n tynnu o'dd yn 'i neud e. Aeth arogl y glasied i ffroene'r dyn bach 'ma, a dyn bach o'dd e. Nawr fe neidiodd ar 'i draed, a wedodd e, 'I hope you don't drink.'

Wel, o'n i wedi agor 'y ngheg i ddweud, 'No we don't.' [*chwerthin*] Ond o'dd Alun Cilie, tynnwr coes ofnadwy o'dd Alun Cilie chi'n gweld, wedodd e o 'mlaen i, 'Yes we do,' wedodd e. O'dd e'n ôlreit chi'n gweld, o'dd e 'da'r widw! [*chwerthin*] Ni'n dau o'dd yn gorfod cysgu fan'na chi'n gweld. Wel, mi a'th 'i eirie nesa fe trw 'nghalon i.

'Well you can get out of here now then.' O'n ni ar yr hewl! O'n

61

ni ar yr hewl! Ond roedd gwraig dda gydag e. Mae sawl ffordd o
weud hwn – os bydd e'n golew ei hunan, chi'n gweud, 'Ma'ch
gwraig chi'n fan hyn.' Os nad yw e'n ... (641) 'Ma gwraig dda gyda
chi.' Nawr y pwyslais yna wi am roi yn yr achos hwn, oherwydd
dyma hi'n gweud:

'No they don't,' wedodd hi, 'I've promised them, now, they're
not going from here tonight. They'll go in the morning if you like,
but not tonight.' A gorffod iddo fe gau'i geg.

Â'th Alun Cilie off a'n gadael ni, at y widw, a fuodd Edwin a fi,
chwarae teg inni, yn trio gwneud sgwrs, ond ro'dd hi'n anodd,
wa'th o'dd y dyn 'na wedi digio chi'n gweld. Ac o'n inne wedi digio
wrtho ynte hefyd. A bytu hanner awr wedi wyth aethon ni lan i'r
gwely ein dou. Wel 'na'r noson ryfedda ges i erioed ??(649) Rhwng
bo 'mrawd yn gymint o seis a finne fan'na jest ar yr erchwyn bytu
cwympo, chi'n gweld – dwi'm yn credu mod i wedi cysgu dim.
Ond, fel ma' pob peth annifyr yn dod i ben, fe ddaeth y bore, a
dyma ni lawr i ga'l brecwast. A wyddech chi, ro'dd e – y pregethwr
cynorthwyol – yn eistedd wrth y bwrdd, ac roedd gwell hwyl arno
fe. Ac ro'dd e'n bwyta brecwast fan'ny, ac fe wedodd wrthon ni bod
e'n mynd i'r Steddfod. O'dd e wedi prynu ticed iddo fe a'r ferch i
fynd i weld y Cadeirio! [*chwerthin*] Wedes i ddim byd wrtho fe am
gadw llygad oboutu tri o'r gloch ffor'na. Wedes i'm gair wrtho fe,
o'n i 'di digio mymryn bach chi'n gweld. Wedi hynny gawson ni
frecwast a da'th Alun Cilie o rywle, nid o rywle, o le o'dd e 'di bod
ondefe, a bant â ni i'r Steddfod. O ie, gyda llaw, sda hyn ddim byd
i neud â'r stori a gweud y gwir, ond dim ond rhoi'r ffeithie yn iawn,
thalodd e ddim byd am 'i lojins! [*chwerthin*] A ma' hwnna mor wir
a bo fi'n sefyll fan hyn.

Wel nawr te, cyn bo ni'n mynd roeddwn i wedi gwneud
trefniadau gyda'r ddynes fach 'ma, o'dd 'y ngwraig i'n dod lan nawr
chi'n gweld ar gyfer y Cadeirio, ag o'n i wedi bwco'r stafell 'na iddi
hi a fi nawr ar ôl y Cadeirio chi'n gweld. Ac roedd Alun ac Edwin,
fy mrawd yn gorffod mynd i rywle arall. Dwi'n credu iddyn nhw
fynd i ryw ysgol a gneud 'mess' ofnadwy o bethe pryd hynny
hefyd, ond awn ni ddim ar ôl hynny nawr.

Wel beth bynnag, fe dda'th y Cadeirio. Chi'n gallu dychmygu'r dyn bach yn gwylio ac yn gweld y lojer yn codi [*chwerthin*], ac yn gwisgo'r porffor, ac yn cerdded i fyny, chi'n gweld, i'r llwyfan. Ar ôl y Cadeirio, mae lot o hen amser yn mynd i siarad â'r cyfryngau a hyn a'r llall, ag o'dd hi'n bump o'r gloch arnon ni'n cyrraedd nôl i'r lle yma, y wraig a finne. Pan aethon ni i miwn, ro'dd e'n aros ar bwys y ford, a wyddech chi ro'dd glasus trwchus gydag ef hefyd, ag o'dd e'n cyffwrdd â'i foch fel'na, hwnna – gwaelod fan'na, a wyddech chi fod deigryn bach wedi aros fan'na, miwn fan'na ar y gwaelod fan'na, chi'n gwybod.

A dyma fo'n dod mlân ata i ac yn estyn ei law, a wedodd e rywbeth, 'Mr Jones, you're a better man than I am.'

'No, don't say that,' wedes i 'tho fe.

'Yes you are,' wedodd e. 'And if you want a little drink tonight, you go and have it.' [*chwerthin*]

Nawr, ma'r stori 'na, yn wirionedd. O'dd e 'di dod ychydig bach rhy hwyr wa'th o'dd y wraig 'da fi erbyn hynny.

Mae un darn o hanes eto i fy nghystadlu i yn y Steddfod Genedlaethol. Fel y'ch chi'n gwybod falle, fe enilles i'r flwyddyn ar ôl 'ny hefyd. Rwy'n credu mai dim ond Dewi Emrys sy' wedi neud 'na o'r blân. Ydy e wedi ca'l 'i neud wedyn, wi'm yn siŵr. Ond beth bynnag i chi, enilles i yng Nghaernarfon, ac fe dda'th y llythyr y tro hyn, a 'Cwbl Gyfrinachol' arno fe. A fe wedes i wrth y wraig, o'n i wedi ca'l cymaint o lond bol o'r busnes 'na, a'r gyfrinach yn dod allan, 'Dim ond ti a fi fydd yn gwybod am hwn.' A felly cadwon ni 'ddi. Ond wyddoch chi, fel bues i ddyla, es i lan i'r Steddfod gyda'r un dou 'to, Alun Cilie ac Edwin fy mrawd. Fi o'dd yn gyrru, Alun Cilie yn iste yn 'yn ymyl i fan'na, ac yn trio dyfalu pwy o'dd â'r Gadair.

'Fachgen, Llew, pwy all fod â hi 'leni?'

Yr hen lythyr yn fy mhoced i, a'r hen gyfaill gorau o'dd 'da fi yn gofyn. O!

'Fachgen, yr hen Fathonwy Hughes, falle wir.'

A'r hen lythyr yn ca'l cadw miwn fan'na, dda'th e'm mas, gadwes i e miwn fan'na. O'n nhw'n dannod lot i fi wedyn, ar ôl 'ny. Ond beth bynnag i chi, lan i'r Steddfod â ni, ac os y'ch chi'n ennill un flwyddyn chi'n gweld, mae'n arferiad gyda nhw i ofyn i chi wedyn i gyfarch y bardd y flwyddyn ganlynol. A nawr, fi o'dd fod i gyfarch y bardd, a fi o'dd y bardd! Felly chi'n gallu gweld yr anawsterau bach yn codi fan'na'n barod. Dyna pwy o'dd i fod i gyfarch y bardd gyda fi, y diweddar Brinley Richards, cyfreithiwr a hen gyfaill annwyl i mi. Fe gwrddes ag e ar y Maes ar y dydd Mercher, a wedodd e wrtho fi,

'Wyt ti a fi fod i gyfarch y bardd.'

'Odyn,' wedes i, ond ro'n i wedi dysgu cythreuldeb nawr, chi'n gweld, ac fe ofynnes i, 'Pwy yw e?'

Fel'na. Peth cas i weud wrth gyfaill, 'Pwy yw e?'

'Wel,' wedes i 'tho fe, 'ma'i wedi'i chadw'n glòs 'ma 'leni. S'neb yn gwybod. Ond, 'wi'n gwybod ble i fynd heno i ga'l gwybod. Fyddi di 'ma bore fory – gei di w'bod.'

Welais i e ar y Maes bore dydd Iou, ac es i draw ato fe, a wedes i, 'O's rhyw newydd 'dach chi?'

'Wel, bachgen mae hi wedi bod yn anodd 'leni,' wedodd e, 'ond mae'i ffug-enw e 'da fi.' Fe wedodd 'yn ffug-enw i.

'Fachgen beth wna i nawr te?' wedes i.

'Gwna englyn nawr gan gynnwys hwnna,' wedodd e, 'a fyddi di'n olreit. A wela i di ar y llwyfan.'

'Reit o,' wedes i.

Wel mi dda'th tri o'r gloch 'to, chi'n gweld, codi a gwisgo'r porffor a cherdded lan, ac ro'n i'n ei weld e yn ei wisg wen lan ar y llwyfan man'co ar bwys y gader. A wyddoch chi pan o'n i'n pasio fe i fynd at y gader fe blygodd mlân, a wedodd e,

'Y diawl bach â ti!' [*chwerthin*]

Wi wedi addo siarad obytu ... beth o'dd y testun nawr ... 'Y Cythraul Cystadlu', mae hwn yn rhan o'r peth a gweud y gwir, ond 'Y Cythraul Cystadlu' 'te.

Wyddoch chi o'n i'n dweud wrthoch chi obytu'r beirdd a'r beirniaid, o'dd y beirniaid ddim yn gwybod eu gwaith ac ro'dd y beirdd yn amal iawn yn cael cam. Mae beirdd wedyn, o'n i'n dweud, yn bigog iawn. Mae gydag Eirian Davies rhyw bennill bach i'r 'Draenog', sy'n ddisgrifiad da o fardd wedi colli.

Ymlaen yr es innau
A'i adael o'i go,
Hen beth bach rhy bigog
I neud dim ag o

A rhai fel'na yw'r beirdd a gweud y gwir. Mae gyda fi enghraifft i ga'l fan hyn nawr – we'dd Tom Davies, Horeb – gweinidog pwyllog, call, doeth – yn beirniadu mewn eisteddfod ym Mwlch y Groes, ac roedd cystadleuaeth yr englyn – roedd saith neu wyth wedi dod miwn – a dim llinell yn gywir yn ddim un ohonyn nhw. Nawr o'n i'n gweud bod beirdd yn bigog, doedd iws iddo ddweud dim byd cas amdanyn nhw chi'n gweld. Beth bynnag i chi, dyma Tom Davies yn dweud fel hyn. Chi'n gwybod ma' strac yr englyn i' ga'l ar ôl y llinell gynta, ma'r strac (gwant) a'r cyrch wedyn. 'Na siâp yr englyn ondefe. 'Dyn nhw ddim yn iwso'r strac nawr, ma' nhw 'di gneud ffwrdd ag e. Wi'm yn gwybod pam. Ond slawer dydd ro'dd pob un yn rhoi strac miwn. A medde Tom Davies yn fwynaidd iawn, er mwyn peidio digio'r beirdd,

'Ma'r rhein,' wedodd e, 'wi'n ofni nad oes dim cynghanedd 'ma,' wedodd e, 'yn yr un llinell, ond whare teg iddyn nhw, ma'r strac yn y man iawn ynddyn nhw i gyd.' Ie, whare teg.

Dyna beth arall wedyn oedd yn digio'r beirdd, we'dd pan oeddech chi'n cystadlu ac roedden nhw'n cadw pris tocyn 'nôl o werth y wobr, chi'n gweld. Ac roedden nhw nhw wedi mynd yn y diwedd â'r wobr i gyd. Ond chwarae teg i'r steddfod, o'n nhw'n ca'l dim elw oddi wrth y beirdd o'dd ddim yn mynd i'r steddfod. Yn y diwedd aethon nhw i ofyn am docyn blaensedd – o'dd hwnnw'n dipyn, oherwydd rhyw hanner coron o'dd yr englyn chi'n gweld, a falle bydde tocyn blaensedd yn driswllt. Ac o'dd Isfoel rhyw dro – mae'n eitha gwir, fe 'i hunan o'dd yn gweud 'tha i – wedi cystadlu mewn rhyw steddfod lawr ffor'na chi'n gweld, ac wedi gweld yn y papur fod e wedi ennill, a dim byd yn dod oddi wrth yr ysgrifennydd. Dyma Isfoel yn sgrifennu llythyr ato fe i ofyn ble o'dd 'i arian e, a gas llythyr 'nôl oddi wrth yr ysgrifennydd – hanner coron o'dd y wobr, ac roedd tocyn blaensedd yn driswllt, ag ro'dd e wedi hala dwy geiniog ar stamp. Felly ro'dd arno fe wyth ceiniog i'r ysgrifennydd! A dyma rhyw hen foi fan'na – Gwilym Wynne o Gwm Twrch yn sgrifennu pennill. Roedd hwnnw wedi digio wedyn – roedd e 'di bod yn cystadlu ar yr englyn i'r 'Cwrci' yn Steddfod Gwynfa, ac o'n nhw wedi hala'r arian iddo fe, ond wedi cadw lot yn ôl, chi'n gweld. A dyma fe'r pennill o'dd e wedi'i anfon 'nôl atyn nhw:

> Fe dda'th yr hen lygoden
> O'r Gwynfa'n ddigon twt,
> A phisyn mawr uffernol
> Yn eisie o flaen 'i chwt.

Roedden nhw'n grac iawn am beth fel'na, chi'n gwybod, y beirdd.

Wedi hynny fe fuodd 'na gyfnod pan o'dd y gyfrinach – y Gadair a'r Goron – yn dod allan o hyd. We'dd Proser Rhys – newyddiadurwr fel chi'n gwybod – o! o'dd e'n fachan am ga'l gwybod chi'n gweld. We'dd Ifan Jones – y'ch chi'n cofio Ifan Jones, Yr Iororydd, Aberystwyth? Chi'n cofio amdano fe? Nawr te, dyna i chi un o'r sgowts gorau o'dd yn ca'l gwybod pwy o'dd miwn. O'n nhw'n gweud bod Ifan, dwi'm yn gwybod os yw'n wir, hen gyfaill i mi ac yn fardd da hefyd, o'n nhw'n gweud bod Ifan yn rhyw loetran o gwmpas y Post Office yn Aberystwyth ar y diwrnode cyn i'r pethe fod miwn, i ga'l gweld pwy oedd yn posto. Chi'n gwybod, yn dechre fan'na, chi'n gweld. Wel nawr, Seimon Jones yn gweud stori 'tho i wedyn amdano fe'n cysgu'n braf yn y gwely oboutu deuddeg o'r gloch y nos, a rhywun yn taflu grafel ar y ffenest. Fel'na oedden nhw'n mynd i garu slawer dydd chi'n gweld. Grafelen ar y ffenest, a fe gododd, a pwy o'dd 'na ond Proser Rhys.

'Wi am i chi ddod lawr,' wedodd e, 'wi eishie ca'l gair â chi.'

Wel, o'dd Seimon ddim ishie ca'l gair â fe 'r amser yna o'r nos, ond dod lawr –

'Chi'n ennill y Goron yn Wrecsam, ar "Rownd yr Horn".'

Wel, meddyliwch am ga'l gwybod gyda dyn o newyddiadurwr fel'na, ac yn y diwedd o'dd hi'n dod mâs mor amal, fe benderfynon nhw i beidio rhoi gwybod, dim ond gadael i'r beirdd i fod 'na. Ac yn Eisteddfod Llanelli, chi'n gweld, Dewi Emrys enillodd y Gadair, ond y Goron – Wil Ifan. O'dd Wil Ifan yn chwarae golff yn Llandrindod amser y Coroni, a we'dd Dewi Emrys, o'dd e mor ddig bod nhw ddim wedi rhoi gwybod, chi'n gweld, o'dd e wedi gweud wrth ddyn o'r enw Simon Rees, Seven Sisters – gweinidog – na bydde fe ddim yn mynd i'w Gadeirio. O'dd e wedi darllen ei awdl i Simon Rees chi'n gweld, cyn y peth chi'n gweld, a nawr mi dda'th y prynhawn dydd Iou hyn, a Lloyd George yn siarad. A nawr gan bod Wil Ifan ddim wedi troi lan ddydd Mawrth chi'n gweld, o'dd gofid arnyn nhw nawr oboutu'r Cadeirio. Ben Davies yn arwain y Steddfod a Lloyd George yn areithio. A 'ma Ben Davies yn cwrdd â Simon Rees, ac yn gofyn iddo fe,

'Odych chi'n gwybod pwy sy' â'r Gader?'

'Nadw,' wedodd Simon Rees, 'ond wi wedi gweld awdl brydferth iawn, ond os taw honno sy'n ennill,' wedodd e, 'dyw'r bardd ddim yn mynd i dderbyn ei gadeirio.'

A beth ddigwyddodd nesa wedyn'ny – Simon Rees wedyn yn taro ar un o feirniaid yr awdl fel petae ar ddamwain! Chi'n gwybod, ac yn cael sgwrs, a gofyn iddo fe,

'Ôs teilyngdod y pnawn 'ma?'

'O! Ma' teilyngdod,' a dyma fe'n adrodd darnau o'r awdl.

Dewi Emrys. 'Ma Simon Rees yn 'i ôl at Ben Davies, a gweud 'tho fe,

'Ma hi ar ben am y Cadeirio arnoch chi, dyw e ddim yn dod.'

Wel, Ben Davies wedyn yn trio ca'l ffordd ar Dewi, a chael gair â Dewi ac yn gweud wrtho fe, fod e newydd fod yn siarad â Lloyd George, a bod Lloyd George wedi dweud wrtho fe,

'Gobeithio gewn ni gadeirio y pnawn 'ma, gydag urddas a chyda theilyngdod.'

Fe dda'th y seremoni – mae'n debyg mai mewn rhyw shed fowr o'n nhw'n cynnal y steddfod honno, ac fe licien i 'i darllen hi i chi, y diwedd, fel ma' Simon Rees wedi sgrifennu'r peth ei hunan. Dyma fel mae'n gorffen:

'Gwaeddir y ffug-enw unwaith, dwywaith, teirgwaith, eithr ni cheir yr un arwydd fod y bardd yn wyddfodawl. (*'Na air newydd.*) Erbyn hyn mae cwmwl yn cerdded dros wyneb Mr

Ben Davies, wrth iddo frasdremio dros y dyrfa. Araf y treigl yr eiliadau a dyfnhau wna'i bryder yntau. A ddaw mympwy i chwalu ei obeithion yn deilchion. Ust! Cyfyd llef egwan o'r tu allan i'r babell. Y mae'n cryfhau, cryfha (*'Na chi steil o sgwennu.*) Agorir y drws a daw'r newydd i mewn megis taran. "Y bardd, dyma fe." Gwir oedd y gair. Cerddodd y gwrthrych i mewn drwy'r porth rhwng dau blisman.' (*Eitha gwir!*)

Wel nawr te. Mae digon o amser heno 'da ni, o's e? O oes, chwarae teg.

Wyddoch chi ar ôl i fi ennill dwy gader, a'th hi'n stop wedyn, fel chi'n gwybod – chi'm yn ca'l ennill tair. Enillodd Dewi beder ohonyn nhw. Fe achosodd bod y rheol 'na yn ca'l i neud. Gadwes i ddim mlân i gystadlu wedyn'ny. Naddo, fues i'n beirniadu dipyn mewn steddfode, ges i dipyn o brofiad ffor'na 'fyd. Beirniadu lot a gweud y gwir, do. A rhyw hen foi bach – wi'n cofio amdano fe yn Eisteddfod Talgarreg – o'dd e wedi bod yn adrodd darnau i rhyw grwt bach o'dd gydag e yn adrodd odana' i. O'n i'n mynd i sawl steddfod yn ystod y gaeaf, chi'n gweld, a da'th e mlân ata i. Es i mas i ga'l mwgyn. Wi'm yn mwgu nawr. Mae'n beryglus iawn i neud 'ny os y'ch chi'n beirniadu yn y steddfod i fynd mas, chi'n gweld. A es i mas i ga'l mwgyn, a dyma fe'n dod ar fy ôl i chi'n gweld, a wedodd e:

'Mr Jones,' wedodd e, 'dyma'r deunawfed gwaith i ni gystadlu 'danoch chi. Licien i ga'l gwybod 'dach chi heno faint rhagor o deiers y car sy' raid i fi dreulio cyn gawn ni rywbeth 'da chi.'

Dyna hi i chi! Ac wedyn, ro'dd rhyw hen bethe yn digwydd yn y steddfode. Wi'n cofio beirniadu yn Eisteddfod Trisant, ac roedd steddfode rhyfedd iawn yn ca'l 'u cynnal lan ffor'na, yn y mynydde ffor'na, chi'n gwybod. Steddfod fach o'dd hi 'fyd, ac roedd y beirniad canu yn weddol newydd. Dwi'm yn siŵr os o'dd e wedi bod wrthi o'r blân. Roedd e wedi dod nawr ar y solo 'ma, o'dd e wedi dod â hi lawr i ddou, a wedodd e wrth y gynulleidfa:

'Wi'n ofni na alla i ddim gwahanu'r rhwng y ddau yma, wi'n rhannu'r wobr.'

A dyma'r ysgrifenyddes yn dod mlân nawr, a plycio'i gôt e fel'na, a wedodd hi, 'Pâr o sane yw'r wobr!' [*chwerthin*]

'Rhowch bobo hosan iddyn nhw', wedodd hi. Ma' hynna'n berffeth wir!

Mae'n rhaid i ni beidio anghofio ... fues i'n arwain peth hefyd. Do. Fues i'n arwain yn Eisteddfod Genedlaethol yr Urdd yn Llanbed, a dyna'r tro diwetha bron i fi. O, ma' pethe'n digwydd i fi! Yn y cyfnod o awr neu ddwy o'ch chi'n neud ar y tro, lan fan'na, ag o'dd cystadleuaeth y soddgrwth wedi ca'l 'i galw, ag o'dd neb wedi troi lan. Ac yna o'n i'n gorffod gneud rhyw fân siarad chi'n gweld, a Huw Jones yn eistedd lawr fan'na yn wherthin am fy mhen i, chi'n gweld. A galw 'to am y soddgrwth, a dda'th rhyw ferch fach o rywle yn y diwedd, a'r peth mawr 'ma ar 'i hôl hi. Ond o'dd hi wedi sarnu 'y nyfodol i fel arweinydd, chi'n gweld, o'dd hi wedi neud e. Wel, dyna fe.

Ond, roedd rhai o'r hen arweinyddion steddfod, alla i ddim gorffen heb sôn amdanyn nhw. O! Llanfair Orllwyn, Llwyd o'r Bryn, Brian, Dai Jenkins, Tregaron, wyddoch chi, we' rheina'n gneud eisteddfod, chi'n gweld. Roedd rhyw ddawn gyda nhw, ag o'n i'n edmygu'r bechgyn 'na. Wyddoch chi, am yr hen Llanfair Orllwyn 'ma, wi' am ddweud stori neu ddwy amdano fe. Fe o'dd y seren 'da ni lawr yn y de. O'n nhw'n dweud amdano fe – ro'dd rhyw steddfod yn ca'l 'i chynnal yn Crymych bob blwyddyn. Os nad o'dd Llanfair Orllwyn – Ifan Davies, Llanfair Orllwyn – yn gallu dod lawr i arwain, o'n nhw'm yn ei chynnal hi. 'Mond fe o'dd yn gallu cael trefen ar y dorf lawr fan'na. A wyddech chi, wi'n cofio'n iawn amdano fe, chi'n gweld, gwallt gwyn 'da fe yn cwrlo'n ôl fan'na, gwallt gwyn. Ac o'dd e'n ddyn pigog iawn chi'n gweld, yn ddyn pigog iawn. Wi'n cofio sôn amdano fe, o'dd rhyw grwt yn cadw sŵn 'nôl yn y cefen, chi'n gwybod, a Llanfair Orllwyn yn gweud wrtho fe,

'Be sy'n mater arnat ti?'

'Wi 'di colli 'nghap', wedodd e.

'Fachgen, fachgen, beth am hwn fan hyn. Mae wedi colli'i wallt ac mae e'n dawel reit', wedodd e. [*chwerthin*]

Llanfair Orllwyn. A wyddech chi o'dd e'n beirniadu gyda ni ym Mhentre-cwrt – lle gês i'n magu – mewn steddfod fach, gweddol fach, gweddol fawr hefyd. O'dd rhaid bod trefen gydag e, chi'n gweld. O'dd e'm yn fodlon o gwbwl bod unrhyw siarad a phethe'n mynd mlân, a we'dd rhyw ferch fach wedi dod mlân i ganu solo, ac roedd hi'n cymryd dipyn bach o amser nawr chi'n gweld, i roi'r copi i'r cyfeilydd a chopi i'r beirniad, a'r hen Lanfair Orllwyn wedi mynd mas o'i go.

'Beth yw'ch enw chi merch i?'

'May,' wedodd hi.

'Wel, dewch glou nawr 'te neu fe fydd yn June 'ma'n whap iawn.'

Ac mae'n rhaid i fi ddweud un stori wrthoch chi. Fyddwch chi'm yn credu hon. Sdim ots. Mae hi mor wir ar waetha hynny, mae'n ddigon gwir. Roedd rhyw bethe'n wirion iawn ynon ni slawer dydd. Steddfod fach o'dd hon hefyd, ag o'dd rhyw chwe chwestiwn ar y pryd, ag ro'dd hi'n gystadleuaeth bwysig, a ro'dd y cystadleuwyr yn gorffod mynd mas i gyd rhyw bellter oddi wrth y neuadd yn lle boch chi'n clywed y cwestiynau. Ac wedyn o'ch chi'n dod miwn, un am un, a Llanfair Orllwyn yn holi'r cwestiynau. Ac ro'dd un cwestiwn gydag e, 'catch question' – ac fe fydde plant bach ysgol gynradd o leia yn gwybod yr ateb, chi'n gweld. Ond o'n ni ddim pryd 'ny, chi'n gweld. A 'na beth o'dd y *'catch question'*,

'O bwy bart o'r *cod* ma' *cod liver oil* yn dod?'

Ac roedden nhw'n dod miwn o un i un, chi'n gweld pryd 'ny, dim fi, ag o'dd o'n wherthin wedyn, 'Hw, hw.' 'I fola fe'n mynd lan a lawr fel'na. Ond o'dd un dyn 'da ni, Joni Jones, gwehydd o'dd e, bardd ac yn ysgolhaig, ond o'dd e'n llwyd a thene fel mwydyn, chi'n gweld. A dyma fe'n dod lan,

'O bwy bart o'r cod ma' *cod liver oil* yn dod?'

'O'r *liver*,' wedodd Johnny.

A we'dd e'm bodlon nawr.

'Ew, mae'n edrych fel 'se ishe fe arnat ti 'fyd.' wedodd e. [*chwerthin*]

Cyn gorffen, un stori arall am Lanfair Orllwyn, a ma' hon yn berffeth wir oherwydd fues i'n siarad â'r dyn o'dd ynghlwm wrth y stori. Steddfod semi-nationals slawer dydd, dy'n nhw'n ddim i ga'l nawr. Steddfode mowr, o'n nhw'n ca'l y beirniaid gorau ac yn y blaen, a'r tro yma yn Aberaeron o'dd 'i, roedd y dyn du – cerddor gweddol enwog yn 'i ddydd – Coleridge Taylor, yn beirniadu'r cerddoriaeth, ag o'dd e wedi mynd i'r rhagbrawf. Roedd y gynulleidfa yn awr yng ngofal Ifan Davies, ag roedd hi wedi mynd i sibrwd a siarad, a dyma fe'n pwyntio at un dyn o'dd yn aros fan'na, chi'n gweld, yn y canol, y pafiliwn ... pwyntio ato fe fel'na.

'Ti fan'na.'

Pawb yn edrych nawr, 'na'i gamp e chi'n gweld, pawb yn edrych nawr ac yn distewi nawr i weld beth o'dd mlân ag e.

'Ti fan'na, pam wyt ti'n edrych arna i?' medde Ifan Davies. 'Wyt ti'm wedi ngweld i o'r blaen?'

Ond, Hog o'dd enw'r boi 'ma. Hog Jenkins, o Aberaeron – fe wedodd y stori wrtha i. A chi'n cofio obytu'r gwallt.

'Do,' wedodd e.

'Yn ble?'

'Ar bocs Quaker Oats.' [*chwerthin*]

O'dd e'n iawn, o'dd e'n iawn, chi'n gweld. O'dd e'n cymryd y jôc, chi'n gweld.

Ond yn awr un stori i orffen – dwi fod i orffen nawr siŵr o fod – wi wedi siarad lot. Un stori i orffen am arweinydd o'dd ddim yn gwybod ei waith ym Mhentre-cwrt. O'n i ddim yna fy hunan, ond rwy wedi clywed amdano fe. Roedd e'n arwain, ac ro'dd yr Her Adroddiad wedi dod. Ac roedd e wedi gneud rhyw strach ohoni unwaith neu ddwy cyn hyn, a dyma'r dyn bach 'ma'n dod lan i adrodd. A wedodd e wrtho fe,

'Be chi'n mynd i adrodd?'

'Magdalen.'

J. J. Williams. Chi' 'di dysgu lot fan hyn heno! Dyma fel mae'n dechrau, ond ro'dd y ferch wedi mynd yn rong ondefe, 'Magdalen', J. J. Williams.

> Fechgyn, pidwch â wherthin,
> Cwnnwch hi ar 'i thra'd;
> Cofiwch i bwy ma' hi'n perthyn,
> Sychwch y dafna' gwa'd.

A dyma'r bachgen yn mynd lan, ac fel ro'n nhw slawer dydd, chi'n gweld,

71

'Magdalen,
Fechgyn, pidwch â wherthin ...'

A dyma'r arweinydd ar ei draed,
'Hei bois, chi'n y cefen 'na, rhowch chwarae teg. Beth yw'r chwerthin 'na?' [*chwerthin*]

Diolch yn fawr i chi.

3. 'Caeau' - Bedwyr Lewis Jones

Gormod o stwff s'gin i dwi'n meddwl. Mae 'na lot o gaeau w'chi.

Ddechreua i dwi'n meddwl yn bregethwrol iawn hefo adnod. Dyma hi i chi, o lyfr Eseia, y bumed bennod, a'r bumed o'r adnodau fel oeddan nhw'n ei ddeud yn Seilo ers talwm.

Ac yr awr hon, mi a hysbysaf i chwi yr hyn a wnaf i'm gwinllan. Tynnaf ymaith ei chae fel y porer hi.

Tynnu ymaith y cae er mwyn i'r anifeiliaid gael mynd i mewn, neu yng ngeiriau'r Beibl Saesneg, '*I will take away the hedge*.'

Gwrych oedd ystyr y gair 'cae' i ddechrau. Yr un gair yn union ydi 'cae' a'r ferf 'cau', yn cau'r drws a chau'r adwy. Dyna'r cwbl ydi cae – darn o dir wedi'i amgáu efo gwrych neu glawdd neu ffens neu weiran. Cau y tir comin oeddan ni, hynny ydi gwneud caeau allan ohono fo.

Rŵan pryd, meddach chi, y dechreuwyd cau caeau yng Nghymru? Does gin i'm syniad a deud y gwir. Mae o'n rhyfadd yn tydi, y petha 'na 'does gin rywun ddim syniad amdanyn nhw yn ein hanas ni? Caeau sy' wedi gwneud y tirwedd. Cloddiau o gwmpas caeau sy'n gwneud y tirwedd yr hyn 'dan ni'n nabod. Chwiliwch ymhob llyfr hanes a welwch chi neb yn sôn am y peth. Tydi'r pethau pwysig mewn gwirionedd sydd yn ymwneud â'n bywyd ni, tydi rheini ddim yn y llyfrau hanas. Hanas rhyw wleidyddion a rhyw bethau felly sydd yn y llyfrau hanas i gyd. Sgin i'm syniad. Ond noson o'r blaen o'n i'n chwilio ac yn chwalu yn y Pedair Cainc yn y Mabinogi, ac yn y drydedd o'r rheini mae 'na sôn am Fanawydan a Cigfa lawr tua Dyfed 'na yn rwla. Roedd gŵr Cigfa a gwraig Manawydan wedi'u caethiwo, roedd yr hud ar Ddyfed yn dod, rhyw falltod, ac roeddan nhw wedi'u caethiwo, ac roedd Manawydan a Cigfa wedi'u gadael ar ôl. Y wlad heb ddyn nac anifail, dim ond y ddau yma fel rhyw ddau adyn. Mi fuon nhw yn ymgynnal am sbel yn hela, wedyn mi geuthon blwc o ymhél drwy sgota. A wedyn mae'n rhaid gin i bod nhw wedi 'laru ar gig ac ar bysgod, mi benderfynson fynd ati hi i dyfu dipyn o wenith i ga'l bara. Fel hyn y mae'r Pedair Cainc yn deud be neuthon nhw.

    Ac ar ôl hynny dechrau rhyforio ...

Dwi'n meddwl bod y **tryf**orio'n air byw yn sir Gaernarfon. Ystyr y 'rhyforio' 'na ydi palu hefo caib a rhaw; hacio. Dyna oedd y rhyforio 'ma.

    Ac ar ôl hynny dechrau rhyforio, ac ar ôl hynny hau grofft, a'r ail a'r drydedd.

Hau grofft wnaethon nhw. Hau grofft o wenith. Rŵan 'ta, dwi'n dyfynnu o'r Pedair Cainc, mae'r Pedair Cainc tuag wyth gant oed. Ond gair Saesnag ydi 'grofft'. Benthyg ydi o i'r Gymraeg o 'croft', yr un 'croft' yn union a sydd yn 'crofter' yn yr Alban. Hen ystyr 'croft' oedd darn bychan o dir wedi'u amgáu; cae. Darn bychan o dir yn arbennig ar gyfer tyfu cropiau, a hwnnw fel arfer yn agos iawn at dŷ byw. Hyn oedd yn fy nharo fi'n od – rydan ni'n mynd yn ôl wyth, naw can mlynadd – roedd 'na ryw fath o gaeau bychan o gwmpas tŷ, ond doedd 'na ddim gair 'cae' amdanyn nhw. Mae'n ymddangos nad oedd yna ddim gair Cymraeg o gwbwl amdanyn nhw. Ag roedd yna fenthyg gair Saesnag pan oedd geiria benthyg yn betha diarth iawn, iawn yn y Gymraeg. Mae Ifor Williams wedi cyfri yndi, faint o eiria benthyg sydd yn y Pedair Cainc i gyd, a faint – tri neu bump sy' 'na. Felly mae'n rhaid gin i bod y syniad 'ma o gaeau, 'na'r pwynt dwi'sho wneud, amsar sgwennu'r Pedair Cainc i roid o mewn ffurf derfynol, mae'n rhaid bod nhw'n bethau diarth ac yn bethau prin iawn, iawn. Doeddan nhw ddim yn rhan o'n hymwybod ni fel pobol. Doedd gynnan ni mo'n geirfa'n hunain amdanyn nhw. Roeddan ni'n benthyg gair am y peth.

Y pwynt dwi isho'i wneud ydi – yr adag yna, ac am sbel go hir wedyn, tir agorad oedd y patrwm arferol. Llai o lawer cofiwch o dir agorad na 'dach chi a minna'n meddwl amdano fo, achos oedd y wlad gymint, gymint fwy coediog yn doedd? Tasan ni'n mynd yn ôl i ddyddia y Tywysogion, fasa ni'm yn nabod llefydd, achos basa cymint ohoni dan goed. Ag yna, yma ac acw, mewn rhai llefydd, maestiroedd mawr eang, maestiroedd mawr eang a rheini'n cael eu hetifeddu gin deuluoedd a'u trosglwyddo o deulu i deulu. A dyna ydi'r gair 'maes' – lle hollol, hollol agorad ydi maes. Dyna ydi Maes Caernarfon 'te – yng nghanol tai, lle hollol agorad. Y pwyslais 'na ar yr agorad, sef dyna be fasa 'na.

Rŵan yn y maestiroedd yna, mi allai bod gin ddisgynyddion rhyw hawlia arbennig – hawl ar randir, ar ran o dir yng nghanol y maes. Hawl ar lain, llain, llieinia – yr un gair ydi 'llain' a'i luosog o ydi 'llieinia', wedyn rhyw stribyn o dir fasa lliain, llain. Erw, rhyw fesur oedd hwnnw. Dryll, yr un gair dryll yn union ag yn 'malu'n ddryllia', 'dryllio' rhwbath. Rhandir – llain, erw, dryll. Go brin y basa 'na gloddia' a gwrychod fel 'dan ni'n meddwl amdanyn nhw rhyngthyn nhw, dim ond ryw falcia o dywyrch neu rwbath felly o bosib. Dim gwrychod na chloddia. Yn raddol mi ddôth caeau, caeau bychan yn ymyl y tŷ, crofftau i gychwyn ac yna'n nes ymlaen wrth i'r hen ffordd yna o etifeddu tiroedd dorri i lawr, ac wrth i bobol ddŵad yn fwy bachog a sbachog am eu hawliau, wrth i berchnogaeth unigol ddod yn fwy pwysig na pherchnogaeth deuluol eang, mae 'na gau caeau, ac wedyn mae 'na gydio maes wrth faes neu lain wrth lain, rhandir wrth randir, erw wrth erw, a'i gau o gwneud yn saff na chi pia fo, na cheutha neb arall fynd yn agos yna.

'Dach chi'n cael rhyw gip ar hynny, fel oedd o'n effeithio ar rei pobol, pobol bwysig, yn y cywydd diddorol iawn, iawn yna gin Iolo Goch i lys Owain Glyndŵr yn Sycharth. 'Tasach chi'n sbïo ar y cywydd hwnnw, mi welwch bod Iolo Goch yn hwnnw yn canmol y lle, canmol y tŷ, canmol ei bensaernïaeth o, canmol y gwin a'r bwyd oedd yno wrth gwrs. Ond mae o'n mynd tu allan wedyn ac yn canmol perllan, gwinllan yn ymyl y tŷ, mae 'na barc 'lle pawr cewri' medda fo, lle wedi'i gau lle oddan nhw'n cadw'r ceirw. Mae 'na 'barc cwning', sef cae wedi'i gau i gadw cwningod – syniad od i ni yn dydi, bod nhw'n ffarmio cwningod yn hollol ofalus er mwyn cael eu bwyd nhw. Dyna roeddan nhw'n ei wneud, roedd y petha ma'n betha gwerthfawr iawn, iawn, y cwningod 'ma. A wedyn roedd 'na 'barc cwning'. Mae 'na ddolydd gwair, ac yn ôl Iolo Goch roedd 'na 'gaeau ŷd'. Roedd 'na lefydd wedi'u cau yn ein hystyr ni rŵan ar gyfer tyfu ŷd. Mae hwnna gin Iolo Goch wrth sôn am le, am Owain Glyndŵr yn Sycharth. Mae 'cae' yn y fan yna yn dod i olygu cae.

Mae yna fwy a mwy o sôn am gaeau mewn dogfennau yn ymwneud â pherchnogi tir. Gydag amser mae'r cau 'ma, y cau caeau 'ma'n ymestyn, ac mae'r math o dirwedd 'dan ni'n ei gymryd yn ganiataol – neu oeddan ni'n gymryd yn ganiataol – y patrwm cwilt yna o gaeau rhwng gwrychoedd yn dod i fod. Y patrwm yna, ella, sydd ar fin diflannu. Ella. Mi fydda i'n dychryn weithia wrth weld y newid.

Fe magwyd fi ym mhen draw eitha sir Fôn, a weithia wrth fynd tu nôl i'r fan honno, yn lle mynd ar y lôn am Ben-sarn ac Amlwch, fydda i'n troi yn ymyl Dulas a mynd heibio cefn Mynydd Eilian. Mae'r lle wedi newid yn llwyr. Does 'na'm ffarmio yno rŵan, 'mond rhyw fath o ranchio gwyllt. Mae'r cloddia a'r gwrychoedd yn diflannu 'lly, a dwi'n siŵr bod y lle'n debycach heddiw i'r Oesoedd Canol nag y buo fo ar unrhyw adag a deud y gwir. Y maestir agorad ydio.

Rŵan, y cau cynnar 'na. Y cau cyntaf o'r tir agorad. Mae llawer iawn o'r cau cyntaf 'na yn dŵad yn nes ymlaen yn ffermydd ac yn dyddynnod, ac mae enwau y caeau cyntaf yna'n aros mewn enwau tyddynnod a ffermydd. Dwi'n meddwl eto am fy ardal i. Dach chi'n cael Cae Ficer, cae oedd wedi'i gau i'r rhan o'r rhent fynd i dalu cyflog y Person oedd hwnnw. Cae Ficer. Cae Gylfinir, Cae Wern – cae oedd hwnnw wedi'i wneud yn ddiweddarach trwy glirio coed gwern. Mae coed gwern yn tyfu ar rhyw hen dir tamp, go gorsiog. Clirio hwnnw a 'dach chi'n ca'l Cae Wern. Cae Pant, Cae Moch. Tyddynnod i gyd ar un adag – rhywun yn cau cae ac yn codi tŷ yno.

Tasach chi'n troi i'r ddarlith bwysig a difyr honno, 'Tŷ a Thyddyn' gin Syr Thomas Parry, mae o'n sôn am hyn yn ardal Carmel yn sir Gaernarfon, mae o'n sôn am Cae Uchaf, Cae Forgan, cae rhywun o'r enw Morgan. Mae o'n sôn am Ceision Mawr, Cae Sion – a wedyn roedd 'na ddau Cae Sion – Ceision Mawr a Ceision Bach. Mae'r rheina tu ucha i hen wal y mynydd. 'Rochor ucha i wal y mynydd mae Cae Ddafydd, Cae Moel ac eraill. Dwi'n siŵr bod rhai ohonoch chi yn medru nabod patrwm tebyg yn ych ardal chi. A rhyw ymarferiad bach digon difyr ydi cymryd map o'ch ardal a jest nodi'r llefydd efo'r enw 'cae' 'ma, a thyddynnod – neu'r tyddynnod sydd wedi mynd yn furddunod bellach efo'r enw 'cae' – a 'dach chi'n gweld rhyw fath o batrwm, yr hen, hen, hen ffermydd ef ryw enwau mwy diarth, yn 'bod' a 'tre' a rhyw enwau diarth. A 'sach chi'n sbïo ar y rhai 'cae' 'ma, 'dach chi'n gweld y patrwm fel yr oedd amaethyddiaeth mwy gwerinol, daliadau bach yn ehangu yn yr ardal.

Mae yna ryw un enghraifft y gwn i amdani – falla ma'n siŵr bod 'na ragor – lle mae un o'r caeau 'ma yn dŵad nid dim ond yn ddyddyn neu'n ffarm, ond yn dŵad hefyd yn gnewyllyn pentra. Meddwl ydw i am Caeathro yn ymyl Caernarfon. A be sy'n ddifyr am Caeathro ydi bod modd i chi olrhain yn ôl reit at amsar yr athro. Os chwiliwch chi mewn hen ddogfennau, a 'dach chi'n ffeindio mewn rhyw ddogfennau llys yn Gaernarfon tua faint, chwe chant a hanner o flynyddoedd yn ôl, roedd 'na ryw Gwenllian ferch yr Athro. 'Dach chi'n chwilio am betha eraill, mae yna rywun Tangwysgl, ferch rywun, ryw ferch rywun, ferch yr Athro, ac felly mae'n rhaid gin i bod yr Athro 'ma yn byw rywle rhwng Llanddeiniolen a Chaernarfon, rywle tua'r flwyddyn mil tri chant. A fo wedi cael cae, ac wedi'i alw fo'n Gae Athro, ddaeth yn ddyddyn, a ddaeth yn y man yn ganolbwynt pentra.

Nid am gaeau fel'na y bydda i'n sôn – 'run peth fydd y pwnc o ran enwau, ond nid am gaeau fel'na – nid am gaeau parchus ddo'th yn dai ac yn dyddynnod ac yn ffermydd ac yn bentrefi. Mi fyddai'n sôn am gaeau llawer mwy coman – y caeau cyffredin. Rŵan, mae'r elfen yma yn llawer, llawer mwy ansefydlog nac enwau tai. Mae enwau tyddynnod a ffermydd yn tueddu i aros, achos unwaith mae'r lle yn dod yn ddaliad, mae 'na ddogfen gyfreithiol i brofi mai hwn a hwn pïa fo, ac mae'i enw fo yn mynd yn y ddogfen, a phan mae'n cael ei werthu i rywun arall, mae'r un enw, ac mae'r peth yn sefydlogi. Mae 'na fapiau'n dod wedyn, ac mae'r enw yn aros, ac yn sefydlu.

Ond efo caeau, mae enwau caeau'n newid. Pan mae 'na gydio maes wrth faes, cae wrth gae, ffarm wrth ffarm, mae 'na yn amal iawn newid enwau'r caeau. Pan mae 'na newid perchennog, mi gewch chi enwau caeau. Ac os edrychwch chi hen ddogfennau sy'n enwi caeau, a chymharu os 'dach chi'n nabod y lle hefo heddiw, mae'r enwau yn amal iawn yn wahanol. Ac erbyn heddiw, wrth gwrs, efo newid mewn amaethyddiaeth, mae'r pwyslais ar enwau caeau, neu bwysigrwydd enwau caeau yn llawer iawn llai. Ac mae'r elfen yma yn prysur, prysur ddiflannu, yn prysur, prysur ddiflannu. Chydig iawn, iawn o bobol ifanc sy'n gwybod enwau caeau. Cymrwch chi griw sy'n byw yn y wlad a'u holi nhw am enwau caeau – sgynnyn nhw'm syniad, lot ohonyn nhw – petha oedd yn hollol gyfarwydd i ni. A mae 'na dorrath o ryw fath o wybodaeth fel yna yn darfod ac yn mynd i golli.

Rŵan yr enwau caeau 'ma, rhag i ni ramantu na dim byd i gychwyn 'de. Cyffredin a dwl ac anniddorol sobor ydi lot ohonyn nhw cofiwch. Rhyw enwau ydyn nhw fel Cae Dan Tŷ, Cae Cefn Tŷ, Cae Tros Lôn, Cae Cefn Sied, Cae Beudy – rhyw enwau'n deud lle ma'r cae ydi lot fawr iawn ohonyn nhw. Neu rhai hollol wreiddiol yn sôn am faint a siâp cae fel Cae Mawr a Cae Bach a Cae Crwn a Cae Sgwâr a Cae Main. Rhai eraill yn cyfeirio at gropiau fel Cae Haidd a Cae Ceffylau. Neu'r mwyaf cyffredin o'r cwbwl hyd y gwela i – Cae Ffynnon a Cae Pistyll. Prin o'r chwilota dw' i wedi'i wneud drwy sbïo ar rhyw hen ddogfennau ffermydd o wahanol rannau o Gymru, prin y cewch i ddim un, dipyn yn ôl beth bynnag, na fasa 'na Gae Ffynnon neu Gae Pistyll yno. Mae'n ddi-ffael. 'Tasach chi'n mynd ati a rhestru enwau'ch ardal a'ch cylch, mi gaethach chi, dwi'n siŵr, y basa saith o bob deg yn rhai coman anniddorol fel yna. Felly tydi o ddim yn bwnc ydach chi'n mynd i ga'l 'cics' bob pum munud yno fo, ddim byd o'r fath. Mae 'na lot o waith caib a rhaw digon diflas i fynd trwy'r enwau caeau yma.

Ac eto, waeth lle sbïwch chi, waeth lle 'drychwch chi, mi gewch chi rai diddorol. Rhai'n sôn am siâp cae er enghraifft. Heblaw Cae Main a Cae Hir, mi gewch chi Cae Pig, mi gewch chi Cae Pengul, mi gewch chi Cae Triongl, mi gewch chi Cae Tri Chornol yn Llanafan, tu isa i Aberystwyth, a Thri Chornol ma' o'n ddeud lle 'swn i'n deud 'tair congl.' Yn union 'run fath â'r hen gân 'Ma gin i het dri chornol, tri chornol sydd i'm het.' Wel, Cae Tri Chornol. Mae 'na fwy nag un ohonyn nhw. Amrywiad mwy diddorol, yn cyfleu'r union un peth, ydi Cae'r Delyn, Llain Delyn. Rŵan peidiwch â chymryd y'ch camarwain fatha mae 'na rei wedi gwneud, yn meddwl bod 'na delynor wedi bod yn fan'no. Dim byd o'r fath beth. Y cwbl ydi fod y cae y siâp yna, dim arall. Amrywiad ella fwy diddorol ydi Cae Hetar. Mae 'na un yn 'Stiniog, mae 'na un yn Nhregarth, mae 'na un yn Llanbabo yn sir Fôn, ac yn wir ro'n i'n siarad rhyw fis yn ôl hefo rywun o Laneilian – Tom Penman – ac oedd o'n siarad am ryw ddarn o dir a dyma fo'n deu'tha i, 'Wyddoch chi, yr hetar 'na ychi,' meddai o wrtha i. Ag iddo fo, hetar wrth gwrs, wyddoch chi be 'di hetar, 'heater' yn Saesnag, sef yr hen haearn smwddio ynte, 'flat iron.' 'Heater' wedi dod yn hetar yn Gymraeg. Cae Hetar.

Un peth sy' i rhyw gr'adur fath â fi yn ddifyr ynddyn nhw, ydi eich bo'ch chi'n gweld beth oedd rhyw syniad o ddosbarthiad gwahaniad tafodieithol yn y ffordd yma. Os 'dan ni'n ymddiddori mewn tafodiaith, mi fyddwch chi'n mynd o gwmpas fel ma' Robin [Gwyndaf] ac eraill yn gwneud heddiw a recordio be ma' pobol yn ddeud. Ond sgynnoch chi'm syniad am dafodiaith echdoe a chyn echdoe o gwbwl. Mae rhyw enwau parchus yn cael eu safoni. Mae enwau caeau'n aros, ac fe allai enwau caeau cyfnod fod yn ffordd i chi ail-greu ardaloedd tafodieithol, neu ran o ardaloedd tafodieithol Cymru yn y gorffennol. Dach chi'n gweld bod gair 'fath â 'hetar' yn perthyn at 'i gilydd i Wynedd, neu i ran o Wynedd. Lleoliad wedyn, Cae Dan Tŷ, Cae Cefn Tŷ – 'dach chi'n sylwi na nid Cae Cefn Tŷ 'dach chi'n ga'l, ond Cae War Tŷ. O tua Machynlleth, tu isa i Fachynlleth i lawr, 'gwar' am 'cefn' – Cae War Tŷ. A wedyn 'dach chi'n ca'l ambell i beth difyr fel Cae Bach Gwar Tŷ – ma' hwnna'n Llanymddyfri, neu Cae Gwar Cwmarch. Mae 'cwmarch' yn air yn yr ardal honno am 'geunant' neu 'gwm cul'. Wedyn Cae Gwar Cwmarch ydi'r cae tu cefn i'r ceunant.

Mi gewch chi hefyd ambell un difyr fel Cae Perfedd yn Derwen-las, Machynlleth. Wel, pam perfedd, meddach chi. Wel, ystyr perfedd ers talwm oedd 'canol' – dyna ydi o yn y Berfeddwlad, sir Ddinbach a rhan rhwng Gwynedd a Phowys. Mae'n rhaid gin i fod y Cae Perfedd 'ma yn enw gweddol hen, gweddol hen. Mi ddudis i bod Cae Ffynnon i gael yn bob man ac yn goman, a Cae Pistyll hefyd, ond yn Llŷn ac yn Eifionydd yr hyn gewch chi'n amal ydi Cae Pin. Mae 'na un yn Llanaelhaearn, Cae Pin. Mae 'pin' – neu mi roedd 'pin' – yn enw hollol naturiol ym Mhen Llŷn am ryw fath o bistyll. Ym Mhen Llŷn yr hyn oedd o o'ddach chi'n cymryd peipan, darn o landar neu 'ballu, ac yn defnyddio honno i arwain dŵr trwyddi fel bo'ch chi'n medru rhoi rhyw grochan 'dani hi i ga'l digon o ddŵr i ddiodi yr anifeiliaid. Pin ddŵr oedd y gair am y peth. Mi gewch chi Gae Pin. Ma' 'na Gae Pin tua Rhoshirwaun, ma' 'na Bin Ddŵr tua Nefyn, ma' 'na Gae Pin yn Llanaelhaearn. Ac o'n i wedi cymryd mai gair lleol Llŷn ac Eifionydd oedd pin – pin ddŵr fel yna – nes i mi ga'l llythyr gin wraig o'r Gaerwen yn sir Fôn, yn sôn amdani'i hun yn dod yn blentyn i'r Gaerwen rhywbryd tua dechra y ganrif yma. Dwi'n dyfynnu rhyw 'chydig frawddegau o'i llythyr hi – maen nhw'n fendigedig dwi'n meddwl:

> Enw'r cae dros y lôn i'r tŷ oedd Cae Tafarn y Pin. Yng ngwaelod y cae yma mae 'na ffynnon, Ffynnon Tafarn y Pin. Roedd un peth yn rhyfeddol ynglŷn â'r ffynnon yma – ar hyd hafau hir tesog ...

a hi sy'n dweud 'hafau hir tesog'

> ...ar hyd hafau hir tesog, ni welwyd un arwydd o sychu yn

y 'spring' hyd at dridiau cyn glaw. Yna, byddem yn dweud
y ddaear yn tynnu ati'i hun. Ond cyn gynted ag y byddai'r gofer
yn dechrau llifo yn y ffynnon, caem law ymhen rhyw ddwy awr
neu dair.

Mae'n ddarn o sgwennu bendigedig yn tydi? Hollol naturiol,
bendigedig. Ond mae'n amlwg bod y gair 'pin' yna yn air yn sir
Fôn, neu mewn rhannau o sir Fôn hefyd.

Mae 'na eraill sy'n cadw cof am rwbath oedd yn sefyll yn y cae
unwaith – Cae Odyn neu Cae'r Odyn, wrth gwrs, a rheini'n
gyffredin iawn, iawn ac yn deu'than ni mor bwysig ac mor
gyffredin oedd odynau calch ers talwm. Cyn dyddiau'r gwrteithiau
cemegol 'ma, roedd 'na odynau llosgi calch ymhob man. Mae Cae
Odyn, Cae'r Odyn, yn cadw cof am y rheini. Fydd o'n eitha peth i
rywun fapio sawl Cae'r Odyn sy' mewn sir – mae'n rhan o
etifeddiaeth a'r hanas yn sicr. Ond ewch i lawr i ardal Machynlleth,
a nid Cae Odyn a Cae'r Odyn gewch chi, ond Cae Cilyn, sef y gair
Saesneg *'kiln'*, wedi'i fenthyg i'r Gymraeg ac wedi mynd yn 'cilyn'.
Un arall gewch chi yw Cae Chwarel, yn gyffredin iawn, iawn, yn
cyfeirio at ryw fân chwarel lle roedd pobol wedi bod yn tyllu am
gerrig i godi tŷ neu i godi bydái (beudai) neu i godi cloddia. Dw i
wedi gweld hefyd Cae'r Gloddfa – nid am ryw chwarel lechi, ond
dim ond am ryw dwll bach lle o'ddan nhw wedi bod yn tyrchio am
'chydig o gerrig, Cae'r Gloddfa.

Rŵan mae petha' fel'na yn sicr yn rhan o hanas amaethyddol,
ac yn rhan o hanas economaidd ardal ers talwm, ac yn ffynhonnell
sy' ddim wedi'i chyffwrdd.

Un arall ydi Cae Deintur – mae'n syndod mor amal y cewch
chi Gae Deintur. Mae'n syndod. Mae hon yn cadw co' am yr hen
grefft o drin gwlân. 'Deintur' oedd y gair am y ffrâm bren yna i
ddal y wlanen yn dynn pan oedd hi'n sychu, er mwyn iddi sychu'n
wastad ar ôl ca'l 'i phannu. Lle bynnag y cewch chi Gae Deintur
neu Gae'r Deintur neu Llain y Deintur neu Pen y Deintur, mae 'na
wedi bod rywdro bandy rwla yn ymyl. Benthyg wrth gwrs ydi
'deintur' o'r Saesneg 'tenter' ynde. 'Dan ni'n deud, *'on tenterhooks'*
– 'ar bigau'r drain': yn dynn, fatha'r wlanen 'na wedi'i dal yn dynn

... Gae'r Deintur yn Llandegfan – fan'no oedd y
...obat ap Huw, yn byw ar un adag; mae 'na un yn
mae 'na un yn Nolgellau ac ymlaen ac ymlaen

...sbarth, sôn am greffta neu ffordd o fyw, un arall aeth
â'n sy... wrth fynd drwy restrau o rei oedd Cae'r Olchfa. Cae'r
Olchfa. Golchfa. O'n i'n synnu gweld Cae'r Olchfa yn Llaneilian,
mewn lle na' o'n i rioed wedi clywed amdano fo, ei weld o ar hen
fap. Mi ddois ar draws amryw byd wedyn. Mae'n rhaid gin i na' i
fan honno yr oedd pobol rhan o ardal yn tyrru i olchi dillad neu i
ddipio defaid, neu'r ddau beth, ac yn y Cae'r Olchfa y gwn i
amdano fo mae 'na graig yno, mae 'na afon bach yn dŵad, mae hi'n
hel yn rhyw fyrmyn bach o bwll ac mae 'na rhyw fyrmyn o graig y
gallach chi ei defnyddio fel rhyw fath o lwyfan i olchi.

Un arall eto, Cae'r Bothi yn Nannau yn ymyl Dolgellau. Tydi'r
gair 'bothi' ddim yng Ngheiriadur Prifysgol Cymru. Gair Sgotland
ydi 'bothi' am adeilad bychan un stafell ar gyfer gweision ar stâd.
Rhaid gin i bod garddwr neu gipar neu un o weision Nannau yn
byw yn ryw gwt fuo unwaith ar lle mae Cae Bothi. Neu, mynd
trwy restr o enwau stad Nannau, a gweld yn ardal Llanelltyd, Cae'r
Wtra, Cae'r Wtra oedd yn ddiarth iawn i mi. Rŵan 'ta, gair Powys,
gair sir Drefaldwyn ydi 'wtra', gair ydi o am ryw fath o lôn gul, yn
fwy manwl dwi'n meddwl, lôn yn mynd o'r ffarm, neu yn arwain
o'r ffarm i'r caeau pella, neu i dir agorad. Lluosog 'wtra' ydi
'wtregydd', ac mae hynna'n deud 'i darddiad o – 'out track' yn
Saesneg. 'Track' i'r tir allan, 'out track' sy'n air yn sir Amwythig yn
dod yn 'wtra' ac yn 'wtregydd' yn Gymraeg. O'n i'n sôn am
dafodiaith. Dim ond rhai o bobol Powys sy'n defnyddio – pobol
'fath â'r diweddar Francis Thomas a phobol felly – sy'n defnyddio
'wtra', 'wtregydd'. Trwy olrhain enwau caeau fel hyn mi ellwch chi
ddangos yr ardal a dangos bod y gair 'wtra' 'ma yn cyrraedd o
Faldwyn reit drosodd i ran o Feirionnydd. 'Dach chi'n ail-greu
hen dafodiaith.

Wedyn'ny cropiau a thyfiant. Un cyffredin iawn, iawn, heblaw
Cae Haidd a phetha felly, un cyffredin iawn, iawn ydi Cae Eithin.
'Roswch chi am funud bach efo hwnna. 'Pam?' meddach chi.

'Pam?' meddach chi. Cae Eithin. Nid jest am bod 'na eithin yno cofiwch, bod o'n hen eithin gwyllt, gwirion yno. 'Dach chi'n mynd yn ôl i gyfnod, 'dydach, pan oedd eithin yn rhan o ymborth anifeiliaid, pan oedd eithin yn rhan o ymborth ceffylau, a be' sy'n profi hynny 'di bo'ch chi'n ca'l nid yn unig Cae Eithin, ond Gwinllan Eithin. Ac mae Gwinllan Eithin yn deud eu bod nhw'n cael eu tyfu'n arbennig, sbeshal yn y fan honno, i fod ar gael pan oedd eu hangan nhw.

Sylwi wedyn wrth fynd trwy bentwr o rhyw betha o Ben Llŷn, ar rwbath nath i mi feddwl am un gair, y gair Cae Cloron yn Llangwnnadl. Cae Cloron. O'n i'n meddwl mai rhyw hen air gwneud am datws oedd 'cloron', a 'doedd o erioed wedi bod tu allan i eiriadur. Gair gwneud ydi o wrth gwrs, William Owen Pughe neu rywun goncoctiodd o at ei gilydd trwy gymryd y gair 'clôr' o 'cylor' – y gair am gnau daear, a rhoi '-on' fatha 'moron' ar 'i ddiwadd o. A wedyn, ryw fath o gnau daear oedd yn debyg i foron oedd y 'cloron' 'ma i fod 'lly. Felly o'ddan nhw'n gweld tatws mae'n rhaid. Ond mae'n rhaid bod y gair 'na wedi bod yn ddigon byw yn ardal Botwnnog ar un adag i gae gael ei alw yn Gae Cloron. Mi gewch chi Gae Maip, Dryllia Maip, a'r rheini'n mynd yn ôl bedwar can mlynedd i'r unfed ganrif ar bymtheg, lot cyn yr hei foi hwnnw, be' oedd 'i enw fo, Turnip Townsend ne rwbath, o'ddan ni'n ddysgu amdano fo yn 'rysgol ia? Wel, roedd yna gaeau maip ymhell cyn i hwnnw gael ei eni. Wedyn'ny Cae Pys, Erw Pys, Dryll y Pys, Cae Ffa a Ffagir, sy'n peri i rywun sylweddoli gymaint mwy amrywiol oedd y cropia oedd yn cael eu tyfu ar amaethu na mae'r syniad poblogaidd cyffredin sgin rywun. Roedd 'na fwy o hwsmonaeth o'r tir a mwy o ddefnyddio'r tir ac o dyfu amrywiaeth o betha o lawar o'r tir, fel ma'r enwau 'ma yn dangos.

Un arall digon diddorol yn y cyswllt yma sy'n digwydd o hyd o hyd, yn enwedig i fyny tua Clwyd 'na, ydi Cae Banal [*ei sillafu*], Cae Banal, sydd mewn ardaloedd o sir Fflint sy' wedi Seisnigeiddio. Mae'n rhoi bob math o ffurfiau od i chi, fel 'banal' a 'banel' a 'panel' a bob math o betha. Cae Banal. Y gair 'banadl' sy' 'na, hefo'r 'd' wedi troi'n 'dd' ac wedi colli, fatha mae 'cystadl' yn 'cystadlu' wedi mynd yn 'cystal', mae 'banadl' wedi mynd yn 'banal'.

Yr un gair sydd yn 'banhadlog' wrth gwrs. Wel, pam Cae Banadl. Cofiwch Cae Eithin, ac yna cofiwch bod i fanadl werth meddyginiaethol eithriadol ar un adag, yn enwedig at drin anhwylderau ar anifeiliaid. A dyna chi ddosbarth arall o enwau'r caeau yma y gallai rhywun fynd ar ei ôl o – enwau caeau sy'n cyfeirio at ryw blanhigyn yr oedd iddo fo werth meddyginiaethol i ddyn neu yn arbennig i anifail gynt. Un arall yn y dosbarth yma gewch chi ydi Cae Helyg. Dwi wedi gweld hefyd Gwinllan Helyg, sydd eto yn atgoffa rhywun bod 'na dyfu helyg yn hollol bwrpasol er mwyn cael y gwiail i wneud basgedi, basgedi i gadw y pot llaeth yn y tŷ llaeth, basgedi i gario tatw o'r caeau a'r math yna o beth. Ac yn syth yn sgil y pethau yma, yn llawn gymaint ac ymhlith y creiriau mewn amgueddfa rydach chi'n gweld y ffordd o fyw a phatrwm y ffordd o fyw.

Un arall eto sy'n digwydd, mi synnech mor amal, ydi Cae Nyrsen a Cae Nyrs. Cae Nyrsen yn Llanafan, Ceredigion; Cae Nyrs, dwi wedi gweld amryw byd o'r rhain tua ardal Dolgellau, Machynlleth. Nyrsen a Nyrs yn cyfeirio at '*nursery*'. Unwaith eto yr un pwynt ag o'n sôn amdano gynt, yr hwsmonaeth dda 'ma, y parch at ddaear 'ma. Mae rhywun yn gweld mewn rhai dogfennau stadau bod o'n rhan o gytundeb rhent amball i stâd, rhan o'r cytundeb rhyngthyn nhw â'r tenant, fod gofyn iddo fo blannu hyn a hyn o goed bob blwyddyn – bo'ch chi fod i blannu pump o goed newydd deudwch, ffarm o gant, gant ac ugian o aceri, roeddech chi fod i blannu pump neu chwech o goed newydd bob blwyddyn, ac yn deud pa goed oeddech chi fod i'w plannu. Wel rŵan 'ta, os o'ddach chi'n gwneud hynna, ro'n rhaid i chi gael planhigion o rwla, ac felly oedd gofyn i chi ga'l Cae Nyrs. A'r cwbl yn adlewyrchu llawar iawn mwy o barch at dir a daear, nac sydd yn y gymdeithas y magwyd fi ynddi hi yn sicir.

Gwedd arall ar yr hwsmonaeth dda yma ydi enw arall gewch chi droeon, Cae Marl [*sillafu*], Cae Marl. Mae 'na un ym Mhenmon yn sir Fôn, mae 'na un yn Llanallgo ...wel, fydda'n hawdd i rywun feddwl mai gair Saesneg ydi 'marl', ac mae'n debyg gin i mai o'r Saesneg falla y daeth o. Ac eto yn y pen draw, falla bod hi'n werth cofio mai gair Lladin ydi 'marl', ond bod y Rhufeiniaid wedi'i ga'l o gin y Celtiaid, ac felly bod hwn yn mynd yn ôl i ddull o wrteithio tir oedd gin y Celtiaid, ac mi ddysgodd y Rhufeiniaid gin rheini. Falla bod y gair 'marl' wedi aros yn y Gymraeg reit yn ôl o gyfnod y Celtiaid. Math arbennig o bridd yn cynnwys clai a chalch oedd yn ca'l ei daenu ar wynab y tir fel gwrtaith. Mae 'na sôn am 'farlio', hynny ydi cario y marl yma, a Cae Marl oedd y lle lle oeddach chi'n cael marl i fynd â fo ar y tir arall.

Neu Cae Clofar, Cae Clofar – a'r rhein dwi'n meddwl, dwi'n ama, yn adlewyrchu rhyw fath o chwyldro yn y dull o ffarmio, yr holl fusnas 'na, y Chwyldro Amaethyddol 'na oeddan ni'n ca'l 'yn dysgu amdano yn 'r ysgol. Gallwch chi olrhain hwn mewn enwau fatha Cae Clofar.

Mi sonnis i am enwau caeau sy'n sôn am faint – Cae Bach, Cae Mawr, anniddorol drybeilig. Ond 'dach chi yn deffro'ch diddordeb pan 'dach chi'n gweld Cae Deunaw Llathen yn Star ym Môn, neu Cae Naw Llathen – yng Nghemlyn, sir Fôn 'ma hwnna. Mae 'na amryw byd ohonyn nhw. Mesur arbennig oedd 'llathen', hyd llath, neu wialen, ryw stribyn o dir i gychwyn, dyna oedd 'llathen'. Mae'n debyg bod hwn yn cychwyn fel stribed yn y tir agorad 'ma ac yna'n ca'l ei gau. Cae Deunaw Llathen, Cae Naw Llathen. Yr un math o beth ydi Cae Tair Pladur sef, mae'n debyg, yr oedd hi'n cymryd tair pladur i'w dorri o mewn diwrnod mae'n siŵr gin i. Fe gewch chi Y Tair Pladur yn ymyl Llannerch-y-medd, y Weun Wyth Bladur … mae 'na amryw byd o'r rhain. Nid yn gymint yn y ganrif yma – mae'n rhaid chi fynd yn ôl i betha fel Mapia'r Degwm i gael rhein. Hyn a hyn, deunaw llathen, tair pladur.

Wedyn'ny mae 'na amball i enw gogleisiol 'dach chi'n digwydd sylwi arnyn nhw wrth basio. Yng nghanol y rhein mi aeth hwn, pan o'n i'n chwilio am restr i bigo un neu ddau i sôn wrthach chi, mi aeth hwn â'm sylw fi – yng Nghwm Llinau, yn ymyl Cemaes, sir Drefaldwyn, yn fan'na oedd hwn. Cae y Gamfa Glecs [*chwerthin*], Cae y Gamfa Glecs – meddwl pwy glecs oedd wedi bod yn fan'no! Mwy crafog o dipyn ydi Cae Llwgu. Ond wedyn mae 'na lawar iawn o 'gaeau llwgu'. Cae Llwgu yn Tregeian, Cae Llwgu yng Nglan Ystwyth, Aberystwyth, Cae Llwgu yn ymyl y 'Berffro. Yn Lloegr 'dach chi'n ca'l 'Hungry Hill' a 'Hungry Spot', a weithia mae'r rhein yn ca'l eu newid yn 'hungary'! Dwi'n meddwl bod rhei ohonyn nhw yn cyfeirio at gaeau oedd yn fwriadol i droi ceffylau i hannar lwgu yn'yn nhw. Cae Llwgu, yn arbennig ar gyfar y ceffylau, dwi'n meddwl. Nid o reidrwydd cae, bod o'n dir gwael o reidrwydd felly.

Rŵan dwi wedi sôn hyd yma am enwau lle mae y gair 'cae' yn elfen gyntaf. Cae peth a'r peth, a dyna ydi'r math mwya cyffredin. Faswn i'n deud ar antur bod rhywla rhwng saith ac wyth deg y cant o'r rhei dwi wedi sbïo arnyn nhw mewn gwahanol rannau o Gymru yn cychwyn 'Cae' peth a'r peth.

Ond mae 'na eiriau erill wrth gwrs – Maes, Llain, efo'r un math o betha' yn dod ar 'u hôl nhw: Llain y Delyn, Llain Ffynnon, Llain Fain. Mae erill hefyd – ac un peth difyr sobor wrth wneud rhestr o gaeau ardal, ydi gweld faint o'r rhein sy' 'na, a lle ma' nhw wedi lleoli: Rhos – be'n union ydi 'rhos', Waen (*ynganu fel weun*), a triwch chi wedyn ddiffinio be' 'di 'rhos' a 'waen', a 'dach chi'n sbïo wedyn a gweld mor wael ydi diffiniad y geiriadur ohonyn nhw. Rhos, Waen, Dôl, Weirglodd, Bonc, Fron, Ffridd, a be 'di'r rheina'n union, does neb rioed wedi trio diffinio. Roedd pobol yn galw'r petha 'ma i gychwyn yn gwybod i'r dim be' oedd y gwahaniaeth rhyngthyn nhw. Mae disgrifiadau'r geiriadur yn hoples deud y gwir – achos mae'n eu disgrifio nhw bron i gyd 'run fath! Hynny ydi, roedd pobol yn nabod eu daear ac yn nabod eu tir. Dôl yn wreiddiol, wrth gwrs, oedd darn o dir yr oedd 'na afon yn troi fel dolen o'i gwmpas o, 'plygu' ydi ystyr 'dôl'. Dyna pam ydan ni'n addoli. 'Dan ni fod i blygu lawr fel'na [*dangos sut*] pan 'dach chi'n addoli, 'dach chi'n plygu. 'Dôl' – y tir yn y ddolen, tir isel, tir gwastad, tir gweddol laith, tir da am wair, a dolydd gwair gewch chi i ddechra, wedyn ma'n ehangu i fod yn unrhyw dir gwastad, yn enwedig oedd yn dir i dyfu gwair.

Weirglodd yn air tebyg, achos yr hyn ydi 'weirglodd' ydi gwair a clawdd. Gwair, clawdd, yn mynd yn 'gweirglodd'. Dyna ydi weirglodd, ond bod yr enw yma yn newid yn arw. 'Gweirglodd' dduda i, 'werglodd' dwi'n sïwr dduda Robin, 'gwrglod' ddyfyd rhei erill, ac yn y de 'wrlod' gewch chi. Mae 'gweirglodd' wedi mynd yn 'gwerglodd' ac yn 'gwerlod' ac yn 'gwrglod' ac yn 'gwrlod' ac yn 'wrlod'. Tir gwlyb uchel ydi Gwaen, 'weun' ar lafar. Dyna hefyd ydi Ffridd heddiw. Mae Ffridd heddiw yn golygu porfa led fynyddig yn amal iawn yn ymyl wal fynydd. Be' 'dach chi'n ddeud pan 'dach chi'n ca'l lot o lefydd o'r enw Ffridd yn sir Fôn? Does 'na'm mynydd o fath yn byd. Wedyn 'dach chi'n troi i'r geiriadur ac maen nhw'n deud 'thach chi bod y gair 'ffridd' wedi'i fenthyg o'r Saesneg 'frith', a 'dach chi'n mynd i eiriadur Saesneg ac maen nhw'n deu'thach chi bod y gair 'frith' yn golygu coed 'fir', a bobol bach y pwynt am 'ffridd' yn y Gymraeg ydi 'snam coed 'fir' nac unrhyw goed arall yn agos i'r lle! Ac yn syth mae 'na stori ddifyr iawn yn dadlennu'i hun, bod y gair 'frith 'ma yn Saesneg yn golygu rhyw hen le wast, anial, da i ddim, lle o'na ddim math o gynhaliaeth o werth, ddim math o amaethu yn bosib, a bod o wedi dod pan ddo'th o i Gymru yn air am dir oedd yn wag heb neb ar ôl i'w drin o. A'r defnydd cyntaf ydi amsar y Pla Du, y tiroedd hynny lle oedd 'na farw mawr wedi bod a neb ar ôl i'w drin o. 'Dach chi'n ca'l nhw yn y dogfennau Lladin am ganol sir Fôn – rhyw dir nad oedd 'na'm trethi i fod y flwyddyn honno i'r brenin oherwydd bod o yng ngeiriau'r ddogfen: *'iacere frith'* Mae o'n gorwedd yn 'frith', mae'n gorwedd yn wag, yn farw. Mae 'na fardd, un o'r beirdd Cymraeg yn canu cerdd ingol iawn, iawn, amsar y Pla ac yn erfyn ar Dduw gadw'r Pla o Wynedd. Medda fo:

> Na wna Iôr nen wen Wynedd
> Ddaear ffraeth yn ddu-oer ffridd.

Paid â gwneud hi yn hen ffridd ddu oer, heb neb yn byw yno. Mae'r peth yn lledu i dir mynydd yn union tu ucha i'r tir oedd yn ca'l ei ffarmio. Dyna oedd 'ffridd' i gychwyn, y rhan yna yn union y tu ucha i'r rhan oedd yn cael ei aredig a'i ffarmio. *'Frith'* yn Saesneg, 'ffridd' i ninna. Ond 'frith' y mae pobol Clwyd yn dal i'w ddeud o hyd, dal i ddeud o hyd. Be' sy'n fwy hynod, 'ffridd' medda nhw ym Mangor, Ffriddoedd ydi rhan o Fangor lle ma' caeau chwarae'r Brifysgol, Ffridd gewch chi tua Cochwillan a Llandygai, ond unwaith y dowch chi i Aber, 'frith' gewch chi. A ma' 'na ffin dafodieithiol rhwng 'ffridd' a 'frith' rwla rhwng Bangor ac Aber.

Duw a ŵyr pam, ond mae 'na. Dyw fawr o bwys chwaith, ond ma'n ddifyr sylwi.

Rŵan gair arall gewch chi ydi Parc, benthyg o *'park'* yn Saesneg. Yn sir Benfro ac yng ngodre sir Aberteifi ma' Parc yn golygu unrhyw fath o gae 'tydi; mae'n gallu bod yn gae bach iawn, dyna ydi o i Waldo. Ym marddoniaeth Waldo, mae Waldo'n sôn am 'Weun Parc y Blawd', mae'n sôn am y 'perci' llawn pobol Ond dowch chi fyny i'r gogladd, i Wynedd yn sicir, a ma' 'parc' yn golygu ryw gae go grand, mae o yn gae tua chwech/wyth/ddeg acar, yn gae go arbennig ac yn amlach na pheidio yn gae a'i waliau o'n weddol sgwarog hefyd. Ar y mapiau dwi wedi'u gweld – rhei ohonyn nhw hyd yn oed yn gae deunaw acar, cae gweddol fawr, cae debyg i barc yn ei ystyr Saesneg.

Trowch o'r fan yna – o'r parc, y cae mawr yn fy mhrofiad i beth bynnag – at gaeau bychan. Mae 'na ddigon o rheini yng Nghymru. Mae 'na ddigon yng Ngwynedd, ac yn cyd-fynd â hynny mae 'na amrywiaeth aruthrol nad oes neb wedi cychwyn trio'u hastudio o wahanol eiriau am wahanol fathau o gaeau neu leiniau bychan. Mae'n syndod gymint sy'na.

Buarth, er enghraifft. Rŵan mi wn i ma' cowt ffarm ydi buarth fel arfar yn sir Gaernarfon, *'farm yard'*. Cyfuniad ydi o o'r gair 'bu' fatha'n 'buwch' ac yn 'bugail' – achos dyn gwatshiad gwarthag oedd bugail yn wreiddiol. Cyfuniad ydi o 'bu' a 'garth', lle wedi'i gau i mewn. Mi all olygu 'corlan' fel yn Y Buarthau, rhwng Aber a Llanfairfechan – Y Buarthau, y corlannau. Neu Buarth yr Ebol yn Llanfachraeth, Dolgellau. Yr hyn ydi hwnnw ydi rhyw gae bach yn ymyl y tŷ lle'r oedd yr ebol yn ca'l ei roi ynddo fo. Buarth yr Ebol: cae bychan. Mi gewch chi Buarth Drain yn Ffestiniog – buarth wedi'i gau efo drain.

Gair arall cyffredin am y darnau bach 'ma ydi Clwt wrth gwrs: Clwt Caseg a Chyw yn Llanfachraeth. Dwi'n leicio hwnna. Un arall ydi Dryll, yr un 'dryll' ac yn 'candryll' ac yn 'dryllio'. Mi oedd yna lawar iawn, lawar iawn, iawn o'r 'dryllia' 'ma ar un amsar. Ewch chi i ryw hen ddogfennau rhyw dri/bedwar can mlynedd yn ôl a ma' 'na Dryll rwbath neu'i gilydd dragwyddol yn digwydd ynddyn nhw. Dryll Tarw ar dir Llwyn Gwern yn Llanuwchllyn yn un.

Un arall o'r teip yma ydi Sling. Mae 'na Sling yn Nhregarth; mae 'na Sling rhwng Biwmares a Llanddona; mae 'na Sling yn Llangristiolus; mae 'na Sling yn Henllan, Dinbych; mae 'na Gae Sling ym Modedern; mae 'na Sling yn Llanffinan, ac ymlaen ac ymlaen. Bron bob tro rhyw stribed main o gae ar hyd ochor lôn ydi 'sling'. Gair benthyg ydi o o Saesneg sir Gaer. Ond ewch i lawr i'r de, a nid 'sling' gewch chi yn digwydd mewn dogfennau ynglŷn â thir yn fan'no, ond 'slang'. 'Sling' yn y gogledd, 'slang' yn golygu yr un math o beth yn union. Slang Bengam Bella – dyna chi enw iawn 'de! A dydi'r peth fawr o beth i gyd cofiwch, a rhyw dro ynddo fo – y Slang Bengam Bella. Slang Blaen Cwm, Slang Hir. Wedyn'ny, un arall yn sir Gaerfyrddin yn benna' – sir Gaerfyrddin a drosodd i'r hen sir Benfro – ydi Stan [*sillafu*].

Falla bo rhei ohonoch chi sy'n aelodau o'r Gymdeithas Cerdd Dafod neuy rwbath 'lly, yn methu dallt pan fo'ch chi'n sgwennu i rywun yn Benllach, sir Fôn, sy'n byw yn Stangau. Dewi Jones. Wel, lluosog 'stang' ydi 'stangau'. Ma'r hanas yma wedi'i gofnodi, felly dydw i ddim yn bod yn 'sexist' wrth ddeud yr hanas fel dwi'n ddeud o:

Rhyw wraig wedi cael ei dal yn anffyddlon, gr'aduras; fe'i gosodwyd hi i ista oddar 'stang' a'i chario hi o gwmpas yr ardal hefo rhyw 'down creiar' o'i blaen hi'n blorio er mwyn ei chywilyddio hi. Wel rŵan 'ta, ma hi'n sobor o hawdd neidio, meddwl bo' 'na rhyw ddrama a ryw giamocs fel'na wedi bod yn bob stang. Dim byd o'r fath, y cwbl oedd y stang oedd y polyn. Fatha llath, felly mesur o dir oedd y stang, dyna'r cwbl i gyd oedd o.

Mae hyn yn dod â fi at ddau arall dwi wedi ryw ymddiddori ynddyn nhw – y gair 'cotal' a'r gair 'regal'. Gair rhannau o sir Feirionnydd – Penllyn ac Edeirnion – ydi 'cotal' heddiw, gair am ryw lain bychan bach. Ond o chwilio hen ddogfennau, mynd yn ôl dri chant a hanner o flynyddoedd, mae 'na ddosbarthiad digon difyr yn dod i'r golwg. Mi gewch chi rhyw leiniau bach o dir o'r enw Cotal o gwmpas Croesoswallt; mi gewch chi nhw yn ymyl Selatyn, i lawr o'r fan honno at Lansilyn a Llanwddyn, wedyn drosodd am Gorwen a Phentrefoelas a'r Bala, i lan y môr yn ymyl Llanegryn ac i fyny cyn bellad â Nanmor. Rŵan triwch wneud map yn y'ch meddwl, a meddyliwch am hwnna. 'Dach chi'n dod o Groesoswallt, rhyw damaid i lawr i sir Drefaldwyn, y llall yn dod i fyny am Gorwen, y Bala, a dyna chi un patrwm porthmona yn glir iawn, iawn, iawn. Y mae'r gair 'cotal' 'ma yn ei adlewyrchu o i'r dim. Tydi o ddim yn y geiriaduron – fues i'n ffodus, rydw i wedi cael tystiolaeth gin tua phump neu chwech – tystiolaeth ma' nhw wedi'i roid mewn llythyrau, a'r ystyr yn rhywbeth fel hyn: i rai, cae bychan hefo corlan neu feudy yn un gongol iddo; rhai yn deud cae bychan yn ymyl tafarn, ac mae hynna'n awgrymu wrth gwrs yn syth y porthmyn yn galw yn y dafarn ac yn troi'r gwartheg i'r Gotal i aros am dipyn bach. Mae o hefyd yn cael ei arfar am lain caëedig y tu ôl i feudai lle byddan nhw'n gollwng y lloeau yn y gwanwyn. Mi gewch chi Gae Lloi, ond ar un ffarm, ac o'n i'n hoffi hwn yn arw, fyddach chi'n ca'l Cotal, ac yn ymyl y Cotal, Cae Lloi, ac yn nesa i hwnnw Cae Dan Tŷ, a 'dach chi'n gweld y llo yn cael ei ollwng i gychwyn i'r Gotal, a wedyn ar ôl bod rhyw 'chydig oriau yn rhyw fath o sadio yn y fan honno, mae'n mynd i'r Cae Lloeau, a wedyn mae'n mynd i'r Cae Dan Tŷ. A mae'r enwau, maen nhw'n adlewyrchu'r ffordd o fyw mor berffaith felly, maen nhw'n ffitio fel maneg.

Y gair 'regal', os ma' 'regal' ydi'r gair. Rŵan, mae 'na le o'r enw Regal ym mhlwyf Betws Garmon a Llanrug yn yr ardal 'na, ac mae 'na stori a hwrô, hwrâ fawr ynglŷn â hi, bod 'na ryw frenin – dwi'm yn cofio pwy oedd o rŵan – neu fab y brenin, neu rywun brenhinol, wedi dod heibio ac wedi cael panad neu wedi cael peint neu wedi cael rwbath yno – dyna'r math o stori gewch chi yn y llyfrau lleol. Dim byd o'r fath. Fe sgwennodd Melville Richards i saethu'r sgwarnog honno yn ei chlustiau, a dangos, dadlau na, nid dyna oedd o o gwbl, bod 'na ryw blanhigyn o'r enw 'egel', 'sow bread' yn Saesneg, ac y gallach chi gael 'yr egel' yn mynd yn 'regel' ac ar lafar yn 'regal'. Ac roedd o'n deud darn o dir lle oedd yr hen blanhigyn 'ma yn byw. Iawn, OK?

S'nam lot yn ôl, rhyw dair, bedair blynedd, ro'n i yn cartra, yn Tŷ Nain fel dwi'n galw fo, yng Ngharmel, sir Gaernarfon, jest cyn i'r teulu 'madael â'r lle, a dyma f'ewyrth Ses, sydd ddim llawar hŷn na fi yn deud 'tha i,

'Ti'n dod hefo fi i helpu fi i hel gwarthag?' medda fo 'tha i.

'Lle ti ishio mynd â nhw?' medda fi.

'I'r Regal Ganol 'te,' medda fo.

'Lle ddudist ti?' medda fi.

'I Regal Ganol 'na,' medda fo.

Roedd y gair yn air byw iddo fo, Regal Ganol. Am ryw fôn o gae, ryw stribyn o dir gwast, da i ddim, oedd yn arwain o'r ffarm i'r caeau pellaf. Unwaith y dywedodd Ses hyn'na, dyma ddechra chwilio a chwalu, a ffendio, er enghraifft, bod 'na Hegal yn Aberdaron; bod 'na Llain yr Egal yn Nancall, Clynnog; bod 'na Rhegl yn y Geufron, Llanwnda; bod 'na Cae'r Hegla yn Nhrefriw; bod 'na Weirglodd yr Egal yn Llanystumdwy – a sylweddoli mai gair Gwynedd, gair rhan o Arfon, oedd hwn. Yr Egal ar dir Cae Uchaf, Carmel; Yr Hegal a Regal Garw yn Rhiwlas ac yna sylwi bod ffarmwr Clorach yn ymyl Benllech yn sir Fôn, yn sôn am droi'r gwarthag i'r Regal. Stribyn o dir cul yn arwain at afon, yn arwain ar ddŵr neu'n arwain i'r caeau pellaf. Rhyw air digon tebyg i'r 'wtra' 'ma. A dwi'n meddwl, wchi, dwi'n ama mai'r un gair â 'hegla' ydi o. 'Dos nerth dy hegla,' coes, a mae 'hegl' yn ca'l 'i ddefnyddio yn sir Ddinbych am arad, am gyrn arad gwŷdd. Dwi'n meddwl mai darn o dir y siâp yna, rhyw goes o dir, rhyw hen hegl o le, rhyw hen le heglog, da i ddim 'lly, ydi'r 'hegl' 'ma. Ond gair – a dio'm wedi 'i gofnodi mewn unrhyw eiriadur – roedd o yna yn digwydd bod ym mharabl f'ewyrth. Mae o yna mewn enwau llefydd.

Mae 'na rai eraill, amryw byd. Mae 'na un yn 'r ardal yma, 'sa'n dda gin i ei ddal o: 'arlas', 'arlas' [*sillafu*], ardal 'Stiniog a Thrawsfynydd. Cae Arlas, Arlas Ucha – be oedd yr 'arlas' 'ma? Rhyw fath o gae bychan dwi bron yn siŵr. Sut un? Be oedd 'i leoliad o? Yr unig ffordd 'dach chi'n ffeindio, ydi ca'l lot o enghreifftiau ohonyn nhw, a'u plotio nhw ar fap o'r ffermydd a 'dach chi'n gweld patrwm.

Un arall ydi 'hwylfa'. Perthyn i'r gogladd 'ma mae 'hwylfa'. Rhyw fath o ffordd i yrru gwarthag ar ei hyd hi oedd 'hwylfa'.

Neu un y clywis i'n ddiweddar iawn amdano fo yn sir Fôn: 'rhyddid'. Rhyddid yn Ty'n Pwll, Bodwrog; Rhyddid yn Trefollwyn; Clwt y Rhyddid – ddoe ddiwethaf mi welis i hwn – Clwt y

Rhyddid ar dir Cerrig Mân, Amlwch. Clwt y Rhyddid. Rhyddid – beth oedd hwn? Dwi'n hannar amau mai rhyw dir rhwng dwy ffarm, neu rhwng tir dau berson, o' gynnoch chi ryddid a hawl i yrru gwarthag trwyddo fo oedd o. Rhyddid.

Neu ym Morgannwg a Gwent, rhag i mi fod yn rhy leol, 'gardda' [*sillafu*], 'gardda'. Gair sy'n digwydd am ryw fath o badog yn ymyl tŷ am gae lloeau.

Dwi 'mond wedi cyffwrdd â'r peth. Dwi'n siŵr bod 'na nifer eto o'r geiriau 'ma am gaeau bychan. 'Does neb wedi'u casglu nhw – yn sicir, neb wedi'u diffinio nhw o gwbwl.

Rŵan mae hyn'na yn arwain fi at un pwynt wrth ddod at y diwadd 'ma. Mae be dw i yn roid i chi wedi ei dynnu i gryn raddau o sbïo trwy restrau enwau caeau – rhestrau sy' mewn mapiau degwm; rhestrau mewn papurau stâd – rhyw ddogfennau mae rhywun yn eu cael mewn llyfrgell ac archifdy. Ond mewn gwirionedd job hoples ydi ista ar ei ben ôl mewn llyfrgell yn 'studio enwau caeau. Yr unig ffordd i wneud ydi'i wneud o mewn ardal a thir 'dach chi'n 'i nabod. Maen rhaid ichi nabod y tir a cherddad y tir, mewn gwirionedd. Dydi o ddim yn job fedrwch chi ei gwneud o bell. Mae o'n faes nad oes neb prin wedi'i gyffwrdd hyd yma. Tydw i ddim ond yn codi cwr y llen yn frysiog ac yn dameidiog iawn, iawn, ar bwnc nad ydi o ddim wedi'i arloesi na'i fraenaru, llai fyth ei drin. Mae o'n bwnc digon difyr, er gwaetha bod saith deg y cant ohonyn nhw yn goman ac yn gyffredin. Mae o yn taflu gola ar bob math o agweddau ar ymwneud dyn â'i gynefin. Mae o yn ymwneud â daeareyddiaeth – daeareyddiaeth hanesyddol, lle oedd pobol yn byw, sut o'n nhw'n trin y tir; mae'n ymwneud â hanas amaethu; mae o'n ymwneud â threfniadaeth dal tir, a dosbarthiad planhigion. Mae o'n cyffwrdd â llên gwerin achos mae o'n ddosbarth arall nad ydw i ddim wedi sôn amdanyn nhw – 'sa Robin yn medru mynd ar 'hola nhw – lle 'dach chi'n cael Cae Bwgan a Chae Ysbryd, a'r math yna o beth.

Mae o'n gae heb ei drin o gwbwl. Tybed oes 'na yn y'ch plith chi un neu ddau fasa'n ffansïo mynd ati hi, at ddarn o blwy ydach chi'n 'i nabod, cael map mawr, bras, a nodi yr enwau caeau ar y map lle maen nhw i ddarn o ardal. 'Sa'n blesar gin i gydweithio hefo rhywun 'sa ishio gwneud hynny, i gyhoeddi'r peth yn rhyw fath o bamffledyn bach, yn trio'u hesbonio nhw. Dwi'n siŵr y basa Twm Elias yn fan yma, wrth ei fodd casglu gwybodaeth felly am enwau caeau wedi'i fapio. Tydi rhestrau moel, wyddoch chi – rhyw restr wedi'i sgwennu ribidires o top i waelod heb ddeud lle maen nhw – dio'n da i ddiawl o ddim deud y gwir 'de! Ond mae'n rhaid i chi eu rhoi nhw ar fap mewn lle 'dach chi'n ei nabod, ac mae'n rhaid ichi wrth eu hesbonio nhw fod yn nabod y tir, neu mi ddudwch chi betha twp – mi ddudwch, bod nhw ar ben bryn a hwnnw'n gwaelod, neu rwbath gwirion felly. Rŵan, mae 'na faes yma yn sicir, a 'taen ni 'mond yn cael dau beth yn dilyn o hyn, mi fasa fo'n werth chweil, dwi'n meddwl.

Felly os oes 'na rywrai yma â diddordab, fasa Twm dwi'n siŵr – 'swn inna'n sicir – yn hapus iawn, iawn i gydweithio, i baratoi'r peth i *Lafar Gwlad* neu i *Fferm a Thyddyn*, neu yn well fyth falla, hefo'r dulliau prosesu geiriau 'ma rŵan, i wneud rhyw bamffledi bach ar Enwau Caeau. Mae o'n faes sy' â lot, lot, lot i ddysgu i ni am y'n hiaith yn ogystal ac am y'n hanas, ac fel y dywedis i, yn faes nad ydw i 'mond fel 'sa Taid yn deud, 'wedi bod yn pigo cerrig yno fo'.

Twm Elias:
Ia, mae o'n faes eithriadol o ddifyr. Sgwn i os oes gennych chi ryw enw cae yn rwla 'sach chi'n leicio ca'l rhyw esboniad neu ryw drafodaeth yn ei gylch o?

Guto Roberts:
Mae gen i lot o eiria fan'ma dwi wedi'u nodi ... Cae Perfedd. Ma' 'na le yn ymyl Golan, wrth Pen Penmorfa, 'perfedd' oedd ei enw ar lafar, a dwi'n siŵr bod hyn'na pam bod nhw wedi enwi llefydd eraill yn Cefnperau, Cefnperau Bach a Cefnperau Mawr ynde, a ma'n debyg ma' o Cefn Perfedd ma' hwnna'n dŵad 'de? A'r gair 'copald' – ro'n i wedi rhyw gasglu, fel mae rhywun yn medru mynd ar gyfeiliorn – gall hwnnw fod efo 'catal' 'de – *cattle* 'lly, am bod y porthmyn. Achos mae 'na un yn Bach y Saint, mae 'na un yn

93

fan'na, tu ôl i feudy. Dyma glywed merch o Ddyffryn Ardudwy ar raglen deledu yn enwi llecyn yn fan honno, rwbath 'cotal' oedd hwnnw, a roedd hi'n deud ar y pryd y bydden nhw'n gadael gwartheg yna, y porthmyn yn dod â gwartheg yna.

Llais o'r gynulleidfa:
Fydda 'na Gotal yn y Traws, a'r co bach sy' gen i pan ddaethon ni i Traws gynta, bod o'n lle lle bysa pobol yn dŵad, fel rhyw dir oedd at ddefnydd pawb mewn ffordd os bydda 'na sêl. Fydda 'na bwyso moch yno wedyn – a dwi ddim yn siŵr ydw i yn iawn rŵan – y bydda fo'r math o le y byddan nhw'n dŵad â defaid crwydr ella. Dwi'm yn siŵr am hynna, ond dwi'n cofio nhw yn pwyso moch yna, a mae o yn eiddo i deulu Robin, sydd yn edrych ar ôl y Plas 'ma rŵan, Robin, ac erbyn hyn mae'n cael 'i alw'n Gotal, ond cyn hynny oedd o'n ca'l 'i ddefnyddio bron fel tir cyffredin, rhyw lain hir gul ydi, ag oedd 'na gorlannau 'na yn 'yn amsar i yn Traws, bell, bell yn ôl! Ac wrth gwrs, tra rydan ni'n sôn am Traws, … yn Ty'n Llyn, lle o'ddwn i'n byw, roedd gynno ni Rar Las Eithin ag o gynno ni'r Arlas hefyd, a dwi bron yn siŵr bod 'na le caëedig heb fod yn fawr, fawr mwy na'r stafall 'ma, yn y tir Tŷ Nant oedd yn perthyn i Tyddyn Du, oedd yn perthyn i'r Plas 'de dechrau'r ganrif 'ma. Lle tynnu eithin oedd hwnnw, a dwi'n meddwl mai'r Arlas fyddan ni'n galw hwnnw hefyd.

BLJ:
Arlas Eithin?

Llais o'r gynulleidfa:
Yr Ar Las Eithin, dwi'n cofio, yn Ty'n Llyn.

BLJ:
A ma' hwnna'r un fath yn union â Gwinllan Eithin mewn llefydd erill yn tydi?

Llais o'r gynulleidfa:
A roedd yr Arlas 'swn i'n ddeud sy' yn Tŷ Nant rŵan y math o le

... oedd rhyw wal go uchel rownd y lle 'ma.

Llais o'r gynulleidfa:
Tyfu eithin faswn i'n ddeud oedd yn fanno 'de.

BLJ:
Ma'n edrach i mi rŵan, dach chi'n gweld, mai'r hyn sy' gynnoch chi yna ydi'r gair 'gardd', yr 'ardd ŷd', dduda i 'te, 'gadlas' ddyfyd rhai, ond 'rar ŷd' dduda i yn naturiol, a'r 'ardd wair'. 'Rar' wair, yr 'r' 'a' 'r' yn unig 'lly. Yr ardd wair, yr ardd ŷd. Mae'n raid gin i ma 'yr ardd las', sef clwt o dir glas, wedyn 'yr ardd las' i beth a'r peth 'lly. Ond ma' hwnna' wedi peidio bod yn ardd las ac wedi mynd ar lafar yn air sy' wedi magu'i draed 'i hun 'arlas'. A 'mond yn yr ardal yma hyd y gwela i y mae o.

Llais o'r gynulleidfa:
Mi fydden nhw'n ddefnyddio fo yn ochr Dolwen yn fan hyn ychi, Arlas, a rhyw bishyn o dir a hwnnw ar slôp go arw fydda fo, wrth yr Arlas yn fan'na, ar dir ffarm Ty'n Cefn. Peth arall o'ch chi'n sôn, mi fues i'n treulio lot o machgendod ar ffarm ddim yn bell o fa'ma mewn gwirionedd, ar yr hen ffordd Rufeinig rhwng Tan y Bwlch a Chroesor, a ffordd ddrwg iawn oedd hi amsar hynny, roedd y lle'n anghysbell mewn gwirionedd. A'r tŷ ar fin y ffordd, a fydda'r cae o flaen tŷ, Cae'r Gŵr Diarth o'n nhw'n alw fo, mae'n debyg fod o'n rhyw gae i rywun fydda'n aros yna dros nos a ballu i droi ei geffyl i mewn mae'n siŵr, fel bod o'n gwybod lle i ga'l o bore trannoeth.

BLJ:
Cae'r Gŵr Diarth. Da ynde?

Llais o'r gynulleidfa:
Mae hyn yn atgoffa fi fod cysylltiad â 'gwndwn', math o dir 'di gwndwn, debyg i rhos ne 'ballu ...

BLJ:
'Gwyn' a 'dwn', a 'run 'dwn' hwn sydd yn ... rhyw groen calad o dir,

'tyndir' fasa ni'n ddeud am y 'gwndwn' ynde.

Llais o'r gynulleidfa:
Hen dir sâl?

BLJ:
Na, tir heb ei 'redig ers yn hir iawn, iawn fasa 'gwndwn', mewn rhai rhannau o Gymru beth bynnag. 'Tyndir' faswn i'n ddeud am hynny.

Llais o'r gynulleidfa:
Mae 'na air arall o'n i'n meddwl 'fyd – ydi Cae Melyn yn golygu rhyw fath o grop o'ddan nhw'n dyfu tybed, 'ta jest sôn am y blodau ...

BLJ:
Wel 'nes i ddim sôn am y lliwiau, ew maen nhw'n betha' rhyfadd. Pam 'dach chi'n ca'l Cae Melyn, Cae Glas, Cae Du, Cae Gwyn, mae'r lliwiau 'ma i gyd, a be' yn union ydyn nhw. Ac mae busnas lliwiau'n Gymraeg yn beth anodd drybeilig p'run bynnag. Mae'n anodd sobor i chi wybod am pwy liw mae'r bobol 'ma'n sôn – ai natur y pridd, ai'r crop, ai tuedd y cae. Fasa raid i chi adnabod yr ardal yn dda ddychrynllyd dros gyfnod hir i wybod dwi'n credu pam, ynde. Yn dda ddychrynllyd. Ond 'na chi betha erill fel Brithdir a Brechfa, a phetha fel'na, sy'n sôn am ansawdd y pridd; tir cleiog, tir gweddol drwm. Wedyn 'dach chi'n ca'l y dywediad, 'brithdir i fuwch a chrasdir i ddafad'. Hynny ydi, 'dach chi ishio tir mwy llaith i fuwch yn does, nag i ddafad, a mwy o glai yn y pridd.

Robin Gwyndaf:
Dywediad o Uwchaled am hyn'na, am dir gwael iawn, iawn, yw 'tir cornchwiglen'. Y dywediad oedd bod y lle mor wael alla fo ddim cynnal tair cornchwiglen, oedd raid i un farw i'r ddwy arall gael digon o fwyd i fyw ynde. Gyda llaw, mae 'na Gotel yn rhan o gapel Cefn Nannau, lle buo John Roberts, awdur yr emyn 'Gras, gras'. Mae'n debyg mai fan'no fydde'r pregethwr wedyn yn troi'i geffyl

pan fyddai'n dod i bregethu ynde. Roedd yr Athro, a 'den ni wedi ca'l darlith ddiddorol dros ben, roedd o'n cyfeirio at bwysigrwydd astudio enwau lleoedd, bod nhw'n ddrych o'n hanes ni. Mae 'na enghraifft dda iawn, dw i wedi ca'l mwy nag un fersiwn o'r stori 'ma ar lafar – Cae Tlodion Conwy, ffermydd Meillionnydd fan'na yn Llŷn. Y traddodiad yw bod y mab wedi llofruddio rhywun, a bod o wedi ca'l 'i anfon i ryw fath o garchar yng Nghonwy, ac oedd 'na yn y carchar 'ma dlodion a phob math o bobol, a mi fydde 'na un cae arbennig ar y ffarm yma, Meillionnydd, bydde cynnyrch y cae yna yn cael ei ddefnyddio i dalu am le'r mab yn y carchar yng Nghonwy. A ma' hwn 'i ga'l mewn gwledydd eraill hefyd, mae'n fotîff llên gwerin. Ydio'n wir ai peidio, bydde'n ddiddorol mynd ar 'i ôl o. Ga i 'mond cyfeirio, o'ch chi'n sôn am Gae Deunaw Llath, a dwi'n siŵr bydde Twm a chithe wedi dod ar 'u traws nhw, Gwaith Gŵr. Mae hwnna'n gyffredin iawn yn tydi, y math yne o beth. A hefyd yn dwyn i gof, pan o'ch chi'n sôn am buarth, fydden i'n mynd efo mrawd, un o mrodyr, oedd gynnon nhw gynefin defaid ar y Berwyn, a lle bydden ni'n cneifio oedd Fferm Hynod. Os 'dech chi eisiau mynd rhyw brynhawn rhamantus, ewch i Gwm Maen Gwynedd, ochr Llanrhaeadr ym Mochnant ffor' 'na, ac ewch cyn belled â'r fferm Buarth y Re, mae o'n enw hyfryd yn tydi, y buarth 'ne. Ac un peth, o'ch chi'n sôn am 'hwylfa', mae 'ne furddun sydd ynghlwm wrth 'yn hen gartre i, Y 'Rhafod, tir ga'th 'i gau o'r mynydd, a Michael D. Jones oedd y gŵr a adeiladodd y tŷ newydd ar ein ffarm ni. O'n ddyn, wel, o flaen ei oes dwi'n credu, mi adeiladodd ddau dŷ yn ardal Llangwm a Llanfihangel ynde. Ond mae 'na furddun lle o'ne feddygon esgyrn yn byw ers talwm ac enw'r murddun yw Pen yr Hwylfa. A o'n i'm wedi clywed yr enw o'r blaen tan ddudsoch chi am yr 'hwylfa' yna ...

BLJ:
Mae 'na Hwylfa'r Ceirw ar Ben y Gogarth, Llandudno.

Rhiannon Evans:
Ma' 'na Penrhwylfa yn Llansannan hefyd.

Llais o'r gynulleidfa:
Ma' 'na Hwylfa yn ymyl Llanrwst hefyd, Penrhwylfa, Maenan, Llanrwst.

BLJ:
Ac mi allith rhai o'r rhain fod wedi cael 'u newid yn Wylfa 'dach chi'n gweld. Mae modd colli golwg ar y gair 'hwylfa' 'ma'n 'te.

Llais o'r gynulleidfa:
Mae 'na le'n Llysfaen, Hwylfa Ddafydd.

BLJ:
Rhyw ddau arall yn dod i'm meddwl i rŵan. Pnawn 'ma o'n i'n sylwi yn Llanfairfechan, Cae Sinachod. A dyna chi, o'n i'n meddwl dyna fasach chi'n ddeud yn syth ia. Rhyw 'hen sinach' o hen beth, rhyw hen ddyn crintach, annifyr. Ond pam hen sinach o hen ddyn bach? Be wedi 'sinach'? Ystyr 'sinach' yn wreiddiol ydi cefnen o dir dreiniog, diwerth. Tir na chaethach chi ddim ohono fo. 'Sinach' o ddyn ydi rhywun pigog, na chaethach chi ddim byd gynno fo. Cae Sinachod wedyn ydi cae da i ddim felly.

Un arall sylwis i arno fo pnawn 'ma wrth sbïo ar rwbath – dan ni'n gwybod am Cae Melwr sy'n ffarm yn ymyl Llanrwst. Felly mae'n rhaid bod 'na ddyn wedi bod yn byw yn fanno oedd yn gwerthu mêl yndo. Ond ym Mangor ar un cyfnod roedd 'na, dwi'm yn cofio p'un 'na cae 'ta gwinllan oedd y cynta, ond ddudan ni mai cae, Cae Cwd y Mêl, am bod o'n mynd i'r farchnad hefo cydynad o fêl. Mae 'na betha rhyfeddol fel'na i'w cael, ychi. Y Melwr, neu mewn cyfnod cynt Cwd y Mêl achos oedd o'n cario'r peth. Mae peth fel'na'n aros mewn enw cae, dwi'm yn credu bod y term wedi aros yn unlla arall ynte.

Llais o'r gynulleidfa:
Mae 'na weirglodd yn Rhos-lan, yn nhir Cefn Isa, lle dwi'n byw, Gweirglodd Goetan. Hwnnw ydi'r cae lle ma'r gromlech arno.

BLJ:
Dach chi'n gwybod pam yn dydach?

Llais o'r gynulleidfa:
Nac'dwi, dwi ishio gwybod!

BLJ:
Wel rŵan 'ta, cromlech, ac ar dop cromlech, ma' 'na faen mawr yn does. Homar o garreg, maen anferth, ac un traddodiad gwerin i esbonio y cromlechi 'na, oedd bod 'na rhyw gawr wedi bod yn chwarae 'coetanau' (coits) yn eu lluchio nhw, a wedyn 'dach chi'n cael Coetan Arthur, neu Coetan Samson – rhyw gawr mawr. Felly Cae'r Goetan, mae'n siŵr tasa'r peth yn llawn bysa'n Goetan Arthur neu rhywun, oedd o wedi bod yn cael gêm fach ac wedi lluchio honno yno, ynte. Fath â gewch chi'n union yn sir Fôn, Barclodiad y Gawres, am gromlech. Hynny 'di, bod y gawres wedi cario'r job lot 'lly. Dyna 'di Cae'r Goetan.

Guto Roberts:
Coetan Arthur ydi'r gromlech sy'n Rhos-lan, ar dir Cefn Isa. Ond wedyn ma' 'na yn Cefn Ucha, Cae Grasbin. Mae 'na un yn Nasareth, neu Nebo, o's dwi'n cofio, hefyd.

BLJ:
Ma'r gair 'grasbin' 'ma, dwi'm yn gwybod yr esboniad yn iawn, ond mae'r hen air 'grasbin' 'ma i'w ga'l am rwbath go wael yndi.

Llais o'r gynulleidfa:
Mae o yn Mangor hefyd tydi, Cae Grasbin.

BLJ:
Mae 'grasbin' yn cael 'i ddefnyddio braidd yn ddilornus am bobol yndydi. ... Mae o gin Morusiaid Môn rwla. Oedd Lewis Morus yn damnio rhywun ac yn deud bod o'n hen grasbin, dwi'n siŵr jest.

Guto Roberts:

Y cae 'ma, Grasbin Bach a Grasbin Fawr 'te. Oedd o'n eithinog, roedd o'n garegog ac ar ryw fath o gefnan fechan yn mynd i lawr am yr afon. Di-ddim iawn a deud y gwir.

BLJ:

Na fo, ia. A ma'n rhaid i rywun watshiad weithia, rhyw bobol yn gofyn i mi'n ddiweddar 'ma ym Mangor – Saeson – oedd o wedi mynd i fyw i Cae Maes Lodwic, ac eisiau gwybod beth oedd yr enw Cae Maes Lodwic. Ond roddan nhw'n cymryd, a be' oddan nhw'n ddisgwyl glywad, ac ishio cadarnhad, oedd bod 'na rywun efo'r enw Lodwic – Ludovik ne rwbath – yn byw yno. Ond dwi'n ofni nad dyna be' oedd o o gwbwl – na'r gair 'llodig', sef hwch yn gofyn baedd ydi'r ystyr, ac yn fan honno yr oedd y baedd yn cael ei gadw ym Mangor, a phobol yn mynd â'u hychod yno mewn hen oes, sydd prin yn gweddu ar y fath o stâd sydd yno heddiw! [*chwerthin*]

Llais o'r gynulleidfa:

Sgynnoch chi esboniad ar Cae Cladin a Cae Hendre Garcin?

BLJ:

Ew, cladin?

Llais o'r gynulleidfa:

Ladin, ia, fatha'r gair Lladin ond efo un 'l'. Ar stâd Glasfryn ym Mhencaenewydd mae o. Mae o'n ymyl y fflag, dwn i ddim dio'n rhwbath i wneud â hynny.

BLJ:

Dim syniad! ... Os oes rhywun â diddordeb mawr yn rhyw betha fel hyn, y llyfr gora dwi wedi weld – does 'na ddim byd yn Gymraeg fel o'n i'n deuthach chi – y llyfr gora dwi wedi weld ydi hwn, *Shropshire Field Names*, gin ddyn o'r enw H. D. G. Foxhall, wedi'i gyhoeddi gin Gymdeithas Hanes Sir Amwythig. Wel mae o'n ardderchog a dweud y gwir, ac un peth digon diddorol wrth basio yno fo, ydi bod 'na bob hyn a hyn, enwau Cymraeg wrth gwrs, wedi dod dros y ffin. Ond dyma'r math o beth fasa'n braf 'i weld rywbryd am sir yng Nghymru 'lly. Maen ardderchog o lyfr.

Llais o'r gynulleidfa:
O'n i ar daith gerddad yn ochra'r Friog, a mi oedd Myrddin Williams, Normal yn sôn am y Fegla Fawr a'r Fegla Fach, a oddan nhw'n methu gwybod be' oedd yr ystyr, ac oedd o wedi meddwl tybed os na siâp y peth oedd o.

BLJ:
Dim syniad be di 'Fegla'. Y Fegla, dwn i'm.

Llais o'r gynulleidfa:
Dwi wedi bod yn fy nychymyg yn ôl yn ardal enedigol ym Mrynrefail ac ar yr hen dyddyn y ganed ac y maged fi arno fo, Bryn Madog, a mynd rownd y caeau a gallu deall pam oedd Cae Ffynnon, Cae Dan Tŷ, Cae Tatws, a medru deall rheina, a'r weirgloddiau, Weirglodd Fawr, Weirglodd Fach, Weirglodd Wlyb, ac yn y blaen. Ond oedd 'na un pan o'n i'n blentyn fedrwn i'n fy myw ddallt, a dwi'm yn dallt byth Coediach Mawr oedd enw'r cae. Doedd 'na'm coedan yn agos i'r cae, oedd 'na greigau ar gwr y cae, ond Coediach Mawr oedd enw'r cae ...

BLJ:
Coediach?

Llais o'r gynulleidfa:
Coediach Mawr, Brynrefail, Arfon. Ac wrth gwrs, dyna un arall, fyddwn i'n mynd hefyd cysylltiad teuluol i Garth Fawr ym mhen Nant y Garth, rhwng Deiniolen a Ffordd Bangor-Caernarfon, ac un o enwau'r caeau yn fanno a'n swynodd i, Cae Pwll Cywarch. Dwi'm wedi'i weld o'n un man arall.

BLJ:
Mi ddylswn i falla fod wedi sôn am rheini. 'Cywarch' a 'llin', y ddau

beth oedd mor bwysig eto ond i chi fynd yn ôl ddau can mlynedd, oedd mor bwysig. A wedyn, y 'cywarch' 'ma, yr *hemp* 'ma, o'ch chi bwll i socio fo mewn dŵr yn doedd, er mwyn i chi fedru'i drin o. A wedyn mi gewch chi Pwll Cywarch. Dyna beth difyr sobor, dwi'n siŵr bod 'na ddigon o ddeunydd i rywun yn rwla rywbryd wneud darlith ar wahanol fath o byllau sydd mewn enwau. Pwll Clai, Pwll Cywarch. Oedd rhaid bod yn hunangynhaliol yn doedd o fewn cylch gweddol fach 'lly, lle oedd rhaid i chi ga'l pob peth yn doedd. Llin, Cae Llin, Hafod Llin, i dyfu llin. Ma' 'na lot o rheina yma ac acw yn does. Cywarch 'di hemp.

Llais o'r gynulleidfa:
Wyddoch chi beth sy'n peri dryswch mawr i mi efo enwau llefydd ydi fel mae enwau'n cael eu llygru 'nde. Dwi'm yn sôn am enwau caeau ar y foment, ond ma' hwn yn cyfeirio at hwnnw hefyd ynde. Mae 'na dair o ffermydd yn y cylch yma, sy'n dangos y peth yma. Felin Rhyd Fawr neu Felen Rhyd Fawr? Fyny wrth yr ymyl yr Atomfa mae Cae Einion Alun – Cangan Ala. Jest i fyny'r ffordd 'ma ma' Nant y March, Llanrhamap am Nant y March. Dydi hyn ond tair enghraifft dwi'n gwybod amdanyn nhw. Beth dwi'n anelu ato fo pan dach chi'n dod ar draws rhyw enw od mewn cae, ac yn methu deall be ydi o, falla ma' llygriad ydio o rwbath arall ynde?

BLJ:
Chi'n iawn, dyna pam ma'r job yma yn job berig ar y diân! [*chwerthin*] Ond, maen ddifyr sobor boch chi'n cyfeirio at hwnna yn Maentwrog-Trawsfynydd, ia. Cangan Ala ddudoch chi ia. (*Ia*) Cae Einion Alun, a dyna ydi'r hen enw, achos mae o wedi'i ddogfennu. Ond be sy' wedi digwydd yn fanna dwi'n meddwl ydi mai ffurf arall ar 'einion' ar lafar yn Gymraeg ydi 'engan'. Einion Frenin, Llanengan ydi o, nid Llaneinion. Mae 'engan' ac 'einion' yn ffeirio. Wedyn'ny mae Cae Einion Alun wedi mynd yn Cae Engan Alun, ac o fan'na mae wedi mynd yn Canga. Ond be sy'n ddifyr ydi bod 'na sôn yn Stent Fawr Môn ac Arfon mil pedwar un naw, 'ballu, rhyw chwe chan mlynadd 'nôl, Gwely Einion Alên. Peidiwch â dychryn at y gair gwely 'na, achos cwbl oedd 'gwely' yn

yr hen gyfraith Gymraeg oedd y daliad o dir oedd disgynyddion yn 'i etifeddu'n gyfan. Gwely oedd y gair amdano fo, a gwely ac enw y sawl oedd wedi sefydlu'r gwely yn dod gynta. Gwely Einion Alên yn mynd mewn amsar yn Cae Einion. Ond yr 'Einion Alên' yna, a ph'run bynnag y gair Alun, neu Alan. Mae Alun yn enw personol Cymraeg, tydi Alan ddim. Llydaweg ydi Alan, a ma' hwn yn ca'l 'i sillafu'n 'Alayn', a mae o'n swnio'n Normanaidd i mi. Ma'n swnio'n Normanaidd yr 'Alayn' 'ma, ma'n rhaid i mi ddeud 'lly. Ond tir yn perthyn i Einion Alun neu Alan neu Alayn yn mynd yn Cae Einion Alun, yn Cae Engan Alun ac yn Cangan Ala, ia. Ond dwi'n licio'r llall 'ma, Llan ...?

Llais o'r gynulleidfa:
Y peth ydi, Nant y March ydi enw'r lle ar y map, ond Llanrhamap sy'n fyw yma. ...

Sgyrsiau Noson Dda

Dyfed Evans

Atgofion am Tynytho
Papurau Pwllheli
Bob Owen

Gol. Gwenno Elis Griffith

Sgyrsiau Noson Dda

Emlyn Richards

Te efo Nain
Hwyl Hwylau
Perl ym mhen flyffant

Sgyrsiau Noson Dda